JAMES BOND

CHASSE AU BARRACUDA

D1407998

Steven Otfinoski

James Bond

Chasse
au Barracuda

TRADUCTION DE JUNE JACQUES

ALBIN MICHEL

Édition originale américaine

JAMES BOND IN : BARRACUDA RUN

© 1985 by Eon Productions Ltd./Glidrose
Publications Ltd.
Ballantine Books, Random House, Inc., New York

Traduction française

© Albin Michel SA, 1987
22, rue Huyghens 75014 Paris

ISBN 2.226.03035.2

**Vous êtes James Bond,
agent secret 007.**

Vous êtes sur le point
d'entreprendre une mission secrète.

Mais d'abord vous devez résister à un requin ! Ensuite vous devez grimper à l'intérieur d'un volcan pour combattre un aliéné qui est sur le point de voler la plus impressionnante arme nucléaire jamais imaginée.

Cela vous paraît amusant ?

En tant qu'agent 007 du Service Secret de Sa Majesté, vous devez choisir vos propres démarches et décider votre propre destin en suivant les instructions en bas de chaque page.

Si vous faites les bons choix, votre mission sera passionnante et réussie.

Si vous faites les mauvais choix, le mal triomphera, et la légende dorée de James Bond tombera dans l'oubli.

Votre mission, 007, commence à la page 1.

Tahiti

Agitant vos palmes vertes vous glissez dans les eaux bleues et limpides qui entourent la belle île de Tahiti. Juste devant vous, Manya, votre superbe compagne, vous guide à travers les récifs de corail rose et blanc.

Ses longs cheveux noirs flottent derrière elle dans l'eau transparente. Vous imaginez leur beauté au clair de lune sur la terrasse de votre hôtel.

Même les agents secrets ont besoin de vacances de temps en temps. Et celles-ci sont les vôtres, agent 007. Ils sont loin de vos pensées, en ce moment, les cerveaux criminels et les complots diaboliques.

Mais rappelez-vous ceci : les forces du mal ne prennent jamais de vacances. Soyez vigilant, James Bond. Il peut y avoir quelque chose de désagréable juste derrière le prochain récif de corail.

Rendez-vous page **9**.

Voilà Glaub et avec lui se trouvent le sosie de Windsor et plusieurs autres imbéciles. Vous êtes entouré.

Glaub vous tient. Mais vous avez la nitro !

— Que personne ne bouge ! ordonnez-vous fermement, tenant la bouteille de nitro pour que tout le monde puisse la voir.

Glaub rit nerveusement.

— « C'est un coup de bluff, dit-il. Vous voulez peut-être me tuer avec cet explosif, monsieur Bond. Mais vous ne voulez certainement pas vous suicider et tuer vos amis par la même occasion.

— C'est exactement ce que je ferai si vos imbéciles font encore un pas, Glaub, menacez-vous.

Le sourire du docteur se dissipe et ses yeux se durcissent.

— Vous bluffez, dit-il. Vous ne le ferez jamais.

Il tend une main osseuse.

— Donnez-moi cette bouteille.

Ne tremblez pas et rendez-vous page **108**.

Vous entendez un clic lorsque le dôme du laser s'enclenche juste au-dessus de votre tête. En un rien de temps le laser vous transpercera !

Mais voilà que vous parvenez enfin à couper le lien ! Avec la main libre, vous détachez rapidement l'autre avant de sauter de la table.

Juste à temps ! Le faisceau laser fend la table où se trouvait votre tête il y a à peine une seconde.

Vous êtes vivant, mais pas hors de danger. Les médecins reviendront. Vous devez sortir d'ici. Les médecins sont sortis par la porte à votre droite, mais il y a une autre porte sur la gauche qui mène à la salle d'hôpital. Vous décidez d'essayer cette porte. Vous traversez une salle vide et vous sautez par une fenêtre.

Rendez-vous page **24**.

Vous montez de plus en plus haut à l'intérieur du filet. En fendant la surface de l'eau, vous êtes aveuglé par la forte lumière tropicale. Vous constatez qu'on est en train de hisser le filet sur un bateau de pêche ! Et lorsqu'on ouvre le filet, vous apercevez deux visages bien connus.

Rendez-vous page **50**.

Egon fait un signe de la tête à son maître. Il marche lourdement, comme le monstre de Frankenstein. Est-il le produit d'une des expériences de Glaub ? Peut-être, mais vous n'avez pas le temps d'approfondir cette pensée car votre amie Kimberly est sur le point de jouer dans la production grecque de « La Belle et la Bête ». Egon la saisit dans ses bras poilus. Il la traîne, vers le puits de lave. Il va la jeter dedans !

— Les femmes d'abord, dit Glaub avec un sourire macabre.

Il vous reste deux secondes pour décider ce que vous allez faire. Faut-il attaquer Egon et essayer d'extraire Kimberly de sa prise meurtrière ? Ou faut-il saisir Glaub et essayer d'atteindre le levier qui ferme le puits de lave ?

Les deux secondes sont passées.

Attaquer Egon ? Rendez-vous page **79**.
Fermer le puits ? Rendez-vous page **25**.

Vous décidez qu'il vaut mieux vider la querelle calmement plutôt que d'alerter tout le monde avec un coup de feu. Vous donnez un coup de pied dans le mollet de Scarpine. Il vous rate avec son couteau. Vous saisissez son bras libre et faisant appel à tout ce qui vous reste comme force, vous le balancez au-dessus de votre tête. Il atterrit avec un bruit sourd, se cognant la tête contre une grande armoire en métal. Il est sonné !

Vous ramassez le corps inanimé et vous le déposez dans un fauteuil près d'un des terminaux. Vous l'attachez ensuite avec une corde que vous trouvez dans un coin.

— Ne vous découragez pas si vous avez du mal à retrouver la programmation, dites-vous en tapant le corps affaissé de Scarpine dans le dos.

Rendez-vous page **112**.

Vous décidez de sortir du labo à toute vitesse ! Vous saisissez Kimberly et vous revenez rapidement à la cale.

Surprise !

Vos deux agresseurs vous y attendent. Ils sont apparemment revenus pour vous surveiller. L'homme à la tache de vin tient un pistolet. Vous courez dans l'autre sens. Retour au labo.

— Ne tirez pas sur lui. Je veux Bond vivant ! crie Glaub. Mais trop tard. Le soldat tire !

En tombant vous sentez une douleur vive dans votre poitrine.

Mais ne vous inquiétez pas : le docteur Glaub est un chirurgien émérite. Il vous retapera en un rien de temps. Comment ? Vous n'avez pas confiance en Glaub avec son scalpel ? Eh bien, ressuscitez-vous vous-même !

FIN

Les gardes ont l'air méchant, et vous supposez qu'une aussi belle planque doit avoir une autre entrée.

Mais après avoir cherché pendant une heure en plein soleil, vous ne la trouvez toujours pas.

— Ça devient pénible, James, dit Kimberly. Retournons à l'hôtel pour nous regrouper.

Vous acquiescez à contrecœur. Il serait peut-être préférable de vérifier le yacht de Glaub, après tout.

Le lendemain, déguisé comme Cecil Bunbridge, un riche Américain, vous affrétez un sloop. Avec Kimberly, vous approchez doucement le *Caesar*, le yacht de Glaub qui se trouve au large.

Rendez-vous page **74**.

Pendant que vous rêvassiez, votre jolie compagne a disparu. Devant vous se trouve l'épave rouillée d'un bateau. Vous décidez rapidement que c'est là qu'est allée votre amie. Après tout, quel plongeur sous-marin peut résister à l'attrait romantique d'un navire coulé ?

Vous décidez de la rejoindre à l'intérieur pour un petit rendez-vous sous-marin. Mais juste à ce moment un visiteur apparaît dans votre pays des merveilles — un visiteur importun. Il s'agit d'un requin meurtrier de plus de trois mètres de long !

Que faire ? Vous pouvez vous réfugier dans l'épave avec votre compagne. Ou vous pouvez attaquer le requin avec votre fusil à harpon. Décidez-vous rapidement ! Ce requin a l'air d'avoir faim et vous êtes la seule friandise en vue.

Vous diriger vers le bateau ? Rendez-vous page **14**.
Attaquer le requin ? Rendez-vous page **21**.

Vous claquez la porte derrière vous et vous vous trouvez dans une pièce contenant un énorme générateur et beaucoup d'appareils. Juste devant vous un épais nuage de gaz jaune sort d'un puits de lave bouillonnante.

— Glaub doit dévier l'énergie du volcan pour faire marcher son labo, dites-vous.

— J'ai déjà entendu parler de sources d'énergie alternées, répond Kimberly, mais celle-ci me dépasse !

— Venez, dites-vous. Il y a une autre porte.

En y arrivant vous l'ouvrez un petit peu. Les hommes de Glaub courent dans le couloir, portant du matériel de labo. Juste derrière eux, Glaub traîne une lourde serviette.

— Dépêchez-vous ! hurle-t-il. Le volcan est sur le point d'entrer en éruption ! Sa voix est presque étouffée par le grondement du volcan.

Il semblerait que la planque devienne un peu trop chaude pour le docteur et il écourte ses heures de bureau. Vous feriez mieux également de sortir de là.

Rendez-vous page **104**.

Vos ravisseurs vous amènent dans une salle d'opération. Ils vous détachent et vous transfèrent d'une table roulante à une autre plus grande. Vous gardez le petit scalpel serré dans la main pendant qu'ils vous attachent à nouveau. Au-dessus de vous, un appareil en forme de dôme est fixé à de longs rails qui partent au bas de votre table et se terminent juste au-dessus de votre tête.

— Prêt à commencer la chirurgie au laser, dit l'assistant.

Le chirurgien en chef fait un signe de la tête et appuie sur un petit bouton au mur. Un étroit faisceau laser jaillit de l'appareil. Le médecin l'éteint immédiatement et appuie sur d'autres boutons de l'appareil. Un léger ronflement s'échappe du dôme qui avance petit à petit le long des rails en direction de votre tête.

— Détendez-vous, monsieur Bond, dit le médecin. Une fois que le laser aura transpercé votre cerveau, vous ne sentirez plus rien. Nous maintiendrons votre corps en vie artificiellement tout en enlevant votre cerveau pour le remplacer par celui du tigre. Lorsque vous reprendrez connaissance, vous aurez l'énergie et la force d'une bête de la jungle !

Tenez ce tigre et rendez-vous page **53**.

Vous cognez délibérément le garde, faisant tomber sa torche qui disparaît dans les profondeurs de la mer. Malheureusement, c'est ce qui vous arrive également. Vous perdez l'équilibre et vous tombez à l'eau.

— Espèce de lourdaud ! crie Glaub. Repêchez-le, dit-il aux autres.

En revenant à la surface, vous vous rendez compte que votre « tache de vin » s'est probablement effacée dans l'eau salée. Bien pire, votre chaîne en or a disparu. Elle a dû se détacher dans l'eau. Voilà votre déguisement qui s'envole.

Vous décidez qu'il vaudrait mieux ne pas être sauvé. Vous respirez profondément avant de plonger sous l'eau. Vous nagez en dessous du *Barracuda*. Si vous parvenez à trouver un moyen de monter à bord, vous avez encore des chances de contrecarrer les projets de Glaub.

Rendez-vous page **31**.

— Salutations, 007, dit la voix. J'espère que vous avez passé de bonnes vacances.'

C'est M, votre supérieur.

— Salut, mon vieux, dites-vous dans la coquille — qui est manifestement un poste émetteur-récepteur. C'est toujours un plaisir pour moi de vous entendre... mais je suis un peu troublé de vous entendre parler de mes vacances au temps passé.

— Désolé, 007, répond M. brusquement, l'air pas tellement désolé. Présentez-vous au consulat britannique dans deux heures et je vous donnerai tous les renseignements concernant votre prochaine mission.

C'est le boulot, comme d'habitude.

Pour savoir ce que M. vous réserve, rendez-vous page **57**.

Vous tournez le dos au requin et vous vous dirigez vers l'épave. Mais à peine avez-vous franchi les hublots rouillés que vous réalisez votre erreur.

Le navire sert de refuge aux requins. On y entre mais on n'en ressort jamais ! Les pensionnaires ont déjà réduit Manya en chair à pâtée. Vous êtes la prochaine victime au menu. Vite ! Fermez le livre et cherchez un refuge et des aventures ailleurs !

FIN

Pendant qu'un des imbéciles vous ligote, vous remarquez une grande tache de vin sur sa joue droite. Mais ce n'est pas la chose la plus surprenante en ce qui le concerne. Vous constatez qu'il porte l'uniforme officiel des forces armées de l'Alliance européenne.

Les brutes partent, fermant la porte à clé derrière eux. Dans l'obscurité, une odeur étrange vous chatouille les narines. Vous reniflez l'air vicié.

— J'espère que ce n'est pas mon parfum que vous sentez, James, dit Kimberly.

— Non, à moins que vous ayez pris l'habitude de vous parfumer au formol, répondez-vous.

— Du formol ? Qu'en ferait-on sur un yacht ? demande votre compagnon.

On se le demande vraiment !

Rendez-vous page **23**.

Votre première réaction est d'essayer d'atteindre la porte. Mais vous apercevez alors un costaud de plus de deux mètres de haut à côté de Glaub. D'après son regard froid et sans émotion et ses biceps impressionnants, il paraît évident que le toubib ne l'a pas engagé pour faire de la broderie.

— Qui êtes-vous ? crie Glaub, braquant un revolver de la taille d'un canon sur votre crâne.

— J'ai toujours voulu voir l'intérieur d'un volcan, répondez-vous, tandis que l'énorme brute vide vos poches et vous enlève vos armes. Il lance même votre revolver-calculatrice de l'autre côté de la pièce.

— Ah ! crie l'ex-nazi. Dans ce cas, je pense que nous pouvons satisfaire vos désirs. Voyez-vous, lorsque j'ai fait construire cette petite planque, j'ai fait dévier la coulée de lave en dessous de cette pièce.

Glaub fait un pas en arrière et tire sur un petit levier par terre. Lentement le plancher se retire, laissant apparaître un puits tourbillonnant de lave en fusion.

— Egon, dit Glaub, en se tournant vers son énorme assistant, je pense que nos visiteurs mériteraient de voir cette merveille de la nature de plus près, n'est-ce-pas ?

Pour avoir l'avis d'Egon, rendez-vous page **5**.

— Les deux projets comportent des risques, admettez-vous. Mais je vais essayer de me faufiler dans l'équipe qui va voler le *Barracuda*. Si je suis pris, vous aurez encore le temps d'essayer de saboter le bateau.

Les deux autres acceptent votre décision, et vous changez de vêtements avec Windsor. Son uniforme vous va parfaitement. Vous glissez la chaîne en or permettant de déguiser les voix sous votre chemise avant de la tester sur Kimberly et Windsor.

— Ça rend bien, dit Kimberly. Mais comment allez-vous déguiser votre visage ?

— Je n'essaierai pas, dites-vous. Il fait déjà noir et il y aura beaucoup d'activité. Je parie que Glaub ne me reconnaîtra pas avant qu'il ne soit trop tard.

Au moment où vous vous apprêtez à partir, Kimberly vous étreint et vous embrasse sur la joue.

— Kimberly, je ne savais pas que vous teniez à moi, murmurez-vous.

— Ne faites pas le malin, James, rétorque-t-elle. Ça fait partie de nos obligations, vous informe-t-elle en étalant le rouge à lèvres sur votre visage. Voilà, ça ressemble à la tache de vin de Windsor.

— Merci, dites-vous en échangeant un baiser plus amical.

Rendez-vous page **92**.

17

Scarpine avance vers vous avec son couteau à cran d'arrêt. Il a réusi à vous coincer entre deux terminaux, et cette fois il est décidé à vous liquider.

Vous tenez votre revolver en main — mais vous n'osez pas tirer. Vous ne voulez pas attirer l'attention de Glaub et de ses copains. D'autre part, vous êtes en face d'un assassin avec un couteau à cran d'arrêt !

Décidez maintenant !

Tirer avec le revolver ? rendez-vous page **42**.

Combattre corps à corps ? rendez-vous page **6**.

On n'est plus tellement loin de la Grèce. Vous arriverez peut-être encore à temps pour sauver Kimberly et le *Barracuda*. Vous continuez à voler !

Vous avez les yeux fixés sur la jauge d'essence et le ciel devant vous, et vous ne vous apercevez pas que le bel endormi sur le siège arrière a commencé à bouger.

Lorsque vous vous en apercevez, il est trop tard. Il a déjà saisi la clé avec laquelle vous l'avez frappé et est sur le point de vous rendre la faveur. Avec le bras gauche vous parvenez à éviter le coup destiné à votre crâne mais vous sentez une forte douleur à l'épaule. Avec la main droite vous arrachez la clé de la main de votre agresseur. Il s'attaque à votre gorge à nouveau. Votre bras gauche vous élance et vous luttez faiblement.

Vous avez l'impression que vous êtes sur le point d'être étranglé à plus de 2 000 mètres d'altitude, mais votre agresseur a d'autres projets pour vous. Il vous cogne la tête contre la porte de l'avion jusqu'à ce que le poids de votre corps finisse par l'ouvrir.

— Bonne route, monsieur Bond, dit-il avec un sourire cruel avant de vous balancer par la porte.

Rendez-vous page **33** pendant qu'il en est temps !

19

Vous suivez Glaub derrière la villa ; là, il monte sur un âne avant de prendre un chemin de montagne accidenté qui mène en haut de la falaise.

— Ce terrain fait mal aux pieds, se lamente Kimberly regardant l'âne avec envie.

Vous vous penchez pour ramasser un morceau de rocher pointu que vous examinez soigneusement.

— On dirait de la lave durcie, dites-vous.

— De la lave ? Vous voulez dire que nous...

— ...escaladons le versant d'un volcan, dites-vous en complétant sa phrase. Oui, et je crois que celui-ci est en activité.

Mais Glaub vous ménage une autre surprise. Devant vos yeux, il arrive au sommet, descend de l'âne et entre tout droit dans le cratère du volcan !

Rendez-vous page **38**.

Vous réalisez que même si vous vous cachez, le requin finira par vous trouver. Vous décidez alors d'affronter votre ennemi et d'en finir tout de suite.

Vous levez votre fusil à harpon, vous visez avec soin et vous tirez. Le harpon perce la peau dure du requin et le puissant meurtrier tressaille.

Mais la blessure n'est pas mortelle. A votre grande horreur, le requin se retourne et avance vers vous. Sa grande mâchoire est ouverte et laisse apparaître des rangées de dents pointues.

Il vous reste deux possibilités — et ne comptez pas demander grâce au requin. Vous pouvez vous défendre avec le couteau accroché à votre taille. Ou vous pouvez enlever votre réservoir d'oxygène et essayer de la coincer dans ces mâchoires meurtrières en espérant que ça vous laissera assez de temps pour atteindre la surface. Aucune des possibilités ne paraît très attrayante, mais si vous ne faites rien, vous deviendrez du hachis de viande !

Que choisirez-vous ?

Employer votre couteau ? rendez-vous page **62**.
Employer votre réservoir ? rendez-vous page **60**.

21

— Nous voilà sur ce beau yacht, les invités de cet homme aimable, et vous devez tout gâcher et m'humilier ainsi, vous crie Kimberly.

— Quel est le problème, ma chère ? demande Glaub, qui est autant dans le brouillard que vous.

Kimberly se tourne vers lui, des larmes dans ses beaux yeux.

— Oh, docteur Mortner, pardonnez-moi de ne pas vous avoir parlé plus tôt du problème de Cecil, dit-elle. Voyez-vous, il est kleptomane et ne peut pas s'empêcher de voler des petites choses. S'il vous plaît, je vous en prie, n'appelez pas la police. Sa famille a déjà été assez déshonorée. S'il devait aller en prison, cela briserait le cœur de la pauvre vieille Mme Bunbridge.

Glaub regarde le capitaine, qui hausse simplement les épaules. Vous baissez les yeux, faisant tout votre possible pour paraître coupable et confus. Est-ce que Glaub va gober ça ?

Rendez-vous page **26.**

— Je ne sais pas pourquoi il y aurait du formol à cet endroit, à moins que ce soit ici que se trouve le laboratoire caché de Glaub, dites-vous.

— Vous voulez dire ici même sur le yacht ? demande Kimberly avec agitation.

— Nous en aurons la certitude, lui promettez-vous, aussitôt que nous aurons défait ces cordes.

Les cordes sont serrées. Vous vous tortillez pendant près d'une demi-heure avant de vous libérer.

Vous avancez à tâtons dans l'obscurité vers une porte que vous ouvrez. En allumant la lumière vous sursautez à la vue qui s'offre à vous !

Qu'est-ce que c'est ?

Pour le savoir rendez-vous à la page **36**.

Une fois dehors, le froid vous transperce. Vous êtes vêtu uniquement d'un pyjama d'hôpital et de pantoufles en papier, et vous n'êtes pas sur l'île ensoleillée de Nikos !

D'après les montagnes et les arbres vous avez deviné que vous êtes dans les Alpes. Mais vous n'êtes pas là en vacances. Vous essayez de vous échapper. Vous entendez le bruit d'une sirène et tout à coup des gardes surgissent derrière vous. Ils tirent !

Vous apercevez une petite piste d'atterrissage devant vous. Si vous atteignez l'avion avant que les gardes ne vous rattrapent, vous pourrez peut-être vous échapper. Mais c'est un très grand « si ».

Il y a un tunnel à votre droite. Vous devriez peut-être y entrer en espérant que les gardes vous dépassent. Vous avez les pieds gelés, et c'est difficile de courir. Le tunnel mènera peut-être en un lieu sûr. Vous devez vous décider immédiatement !

Si vous décidez de vous diriger vers l'avion, rendez-vous à la page **95**.
Si vous décidez de vous cacher dans le tunnel, rendez-vous à la page **117**.

Vous vous précipitez sur le levier, dans l'espoir de refermer le plancher qui couvre le puits avant qu'Egon y jette Kimberly.

Glaub essaie de vous arrêter, mais vous êtes trop rapide ! Vous appuyez sur le levier et le plancher commence à se fermer.

Egon, pas plus que son patron, n'apprécie ce geste. Il lâche Kimberly, vous serre très fort et vous soulève.

Malheureusement, le plancher ne s'est pas encore complètement refermé. Il est encore possible d'y faire passer un corps humain qui tombera dans la lave bouillonnante. Ce corps, malheureusement, est le vôtre. Fermez le livre. Essayez un autre chemin. Ceci est définitivement la

FIN

— Je suis désolé concernant le... problème de votre ami, Mlle Smith, dit Glaub avec compassion. Je vous promets que je ne porterai pas plainte.

— Merci, docteur, dit Kimberly gentiment. Et maintenant je pense qu'il vaut mieux que nous partions. Venez, Cecil.

— Je vous prie de m'excuser, dites-vous faiblement à Glaub. Je ne peux vraiment pas m'empêcher. Heureusement que le capitaine est passé juste avant que je n'aie eu l'occasion de prendre quelque chose.

Vous montez tous les deux à bord de votre sloop avant de vous diriger vers la côte. Lorsque vous vous trouvez loin du *Caesar*, vous embrassez Kimberly.

— Vous méritez une décoration pour cet exploit, ma chère, lui dites-vous.

— J'espère que mes efforts n'étaient pas inutiles, répond-elle. Qu'avez-vous trouvé sur le pont inférieur ?

— Des fusils, des explosifs, et des marins bizarres. Pas de liens précis avec le *Barracuda*. Mais nous informerons l'administration de la présence des explosifs. Cela devrait immobiliser le *Caesar* un moment — pendant que nous élucidons le restant de ce puzzle.

Kimberly vous prend dans ses bras et vous embrasse tendrement.

— Et ceci n'est pas du cinéma, ronronne-t-elle.

FIN **(provisoire)**

Avons-nous dit vulnérable ?

Le couteau ne semble pas avoir plus d'effet sur le requin que le fusil à harpon. Apparemment ce poisson n'a pas suivi les cours avec le même professeur japonais que vous. C'est dommage. Pour vous.

Il ne vous reste qu'une option : il faut sortir d'ici. Vite ! Ce n'est pas très héroïque, mais c'est certainement mieux que de mourir. Agitez ces palmes, 007 !

Rendez-vous à la page **93**.

Après avoir réfléchi un petit moment, vous vous tournez vers Windsor.

— Peut-être pouvons-nous battre Glaub à son propre jeu, dites-vous. Auriez-vous l'obligeance de vous mettre debout, commandant ?

Affaibli par les médicaments que Glaub lui a donnés, Windsor se lève difficilement. Il parvient à rester debout pendant quelques secondes, puis retombe sur la table, désorienté et en proie au vertige.

— Nous sommes à peu près de la même taille, dites-vous. Où est votre uniforme ?

Windsor désigne une case dans le coin.

Kimberly aperçoit votre regard diabolique.

— James, vous n'avez tout de même pas l'intention de vous déguiser en Windsor et de monter à bord du *Barracuda* ? dit-elle.

— Pourquoi pas ?

— Parce que ça ne marcherait jamais, répond-elle. Glaub vous reconnaîtrait tout de suite. Il sait peut-être déjà que nous ne sommes plus attachés dans la cale. Ce serait plus malin d'essayer de saboter le yacht avant que Glaub et ses hommes puissent mettre leur projet à exécution.

— Ça ne sera pas facile. Glaub a une petite armée sur ce bateau, dit Windsor.

Voulez-vous changer de place avec Windsor ? Rendez-vous à la page **17**.
Voulez-vous essayer de saboter le yacht ? Rendez-vous à la page **43**.

Une kimberly vaut vingt Hans Glaub, estimez-vous. Vous retournez vers elle et vous la soulevez dans vos bras.

— Merci, James, chuchote-t-elle.

— Vous allez dans la même direction que moi ? dites-vous tranquillement en la portant vers les portes ouvertes. Une fois dehors et en haut de l'escalier, vous apercevez la lave qui coule le long de la montagne comme une rivière embrasée. Juste en dessous, en plein sur son passage, Glaub et ses hommes s'enfuient. Le fait d'être retourné chercher Kimberly vous a peut-être sauvé la vie !

Rendez-vous à la page **89**.

Tout à coup les hurlements de la créature se transforment en geignements. Un homme est entré dans la pièce. Il a l'air d'un médecin. Il est accompagné d'un infirmier.

— Emmenez-le, ordonne le médecin. On n'aurait jamais dû le faire venir dans cette pièce.

Vous fermez les yeux, faisant semblant d'être inconscient.

— Bond est toujours sous l'effet de l'anesthésie, dit l'homme. Quand il reprendra connaissance, nous commencerons.

— Pour quelle expérience est-il programmé ? demande l'infirmier.

— Le Tigre, est la réponse.

Rendez-vous à la page **88.**

Vous faites surface de l'autre côté du sous-marin, froid, mouillé et essoufflé. Vous n'entendez aucun bruit venant d'en face. Est-ce que Glaub vous considère comme noyé ?

Vous apercevez une trappe au-dessus de vous sur le sous-marin. Vous pourriez vous glisser à travers la trappe, vous cacher à bord, et ensuite essayer de reprendre le *Barracuda* une fois au large. Ou vous pourriez nager jusqu'au bord et alerter le capitaine à la base avant que Glaub ne s'échappe. Décidez-vous.

Rester sur le bateau ? Rendez-vous à la page **55**.
Aller chercher de l'aide ? Rendez-vous à la page **49**.

Pendant un moment vous vous regardez fixement. Windsor-2 paraît troublé. Il sait que vous n'êtes pas Windsor, mais la tache de vin le dérange.

Vous profitez de son désarroi pour lui asséner un coup sur la mâchoire. Il tombe en arrière, assommé. Puis, avec un cri angoissé et inhumain, il se rue sur votre gorge !

Windsor-2 a une force phénoménale, mais il n'a pas la ressource de l'employer efficacement. Il se bat droit devant lui comme avec un punching-ball. Vous parvenez à esquiver ses coups facilement et à le mettre hors de combat avec plusieurs prises de judo bien ajustées. Ensuite vous cachez son corps dans une chambre de stockage.

Rendez-vous à la page **103**.

On dirait que c'est la fin pour vous, 007. Mais vous n'avez pas perdu tout espoir. En tombant en arrière de l'avion, vous saisissez un parachute rangé au-dessus de la porte. Vous tirez désespérément sur la corde qui libère le parachute pendant que vous tombez. Comme vous n'avez pas le temps de le mettre, vous vous y accrochez de toutes vos forces en espérant que le vent ne vous l'arrachera pas des mains.

Vous descendez de plus en plus. L'air froid vous coupe les mains. Votre prise sur le parachute se relâche. Encore quelques secondes... En regardant en bas, vous voyez approcher le sol à toute allure.

Vous atterrissez avec un bruit sourd dans un champ, vous cramponnant toujours au parachute. Vous le repoussez et vous touchez votre corps. Pas d'os cassés, mais vous avez mal partout. A tout prendre, ç'a été une dure journée. Vous vous levez un peu chancelant et vous regardez autour de vous. Vous apercevez des oliviers. L'herbe est jonchée de coquelicots rouge sang. Devant vous se dresse une colonne en marbre face à la mer depuis des siècles. Vous devez être en Grèce ! Nikos et le *Barracuda* ne doivent pas être très loin. Il est peut-être encore temps d'arrêter Glaub, mais vous devez chercher de l'aide.

— Arrêtez ! dit une voix en grec d'un ton sec. Vous êtes tellement content d'entendre parler grec que vous êtes à peine gêné par le fait que l'interlocuteur vous braque avec un Magnum.

Rendez-vous à la page **115**.

Une créature hideuse sort de l'obscurité. Elle a la tête d'un crocodile géant, mais elle marche sur des jambes humaines. Elle vous montre une bouche pleine de dents pointues. Tout à coup vous comprenez pourquoi les hommes de Glaub n'étaient pas très chauds pour entrer dans cette caverne. Ça doit être ici que se trouvent les sujets d'expérimentation les plus dangereux. L'abominable créature se jette sur vous. Vous glissez sur le sol humide de la caverne et vous sentez les dents de la bête qui s'enfoncent dans votre cou. Pendant que vous vous débattez inutilement, elle vous traîne vers sa tanière, où elle et d'autres sujets d'expérimentation vous dévorent rapidement.

FIN

— Nous devons obtenir des renseignements sur la combine mijotée par Zorin et Glaub, dites-vous à Kimberly. Nous devons rester dans les parages encore un petit peu.

Kimberly est d'accord et vous marchez tous les deux jusqu'au bout de la passerelle et en bas d'un escalier en spirale. Cachés dans l'ombre vous apercevez un garde qui s'approche de Glaub avec un grand colis.

— Ahhh ! s'exclame le médecin avec agitation. Ils sont finalement arrivés ! Vite ! Apportez-les tout de suite au laboratoire.

Glaub et le garde cheminent dans le corridor avant d'entrer dans un grand laboratoire. Vous suivez avec Kimberly, à distance respectueuse, évidemment.

Rendez-vous à la page **46**.

La pièce est remplie de gobelets contenant des médicaments, des instruments chirurgicaux et des tables d'opération sur lesquelles sont étendus des corps couverts de draps blancs.

— Oh là là ! s'exclame Kimberly.

— Ça doit être ici que Glaub effectue ses expériences abominables, dites-vous. Et sous ces draps reposent ses dernières victimes, sans doute. Est-ce que ces pauvres gens sont liés au complot du *Barracuda* ?

En guise de réponse, tout à coup un des « cadavres » se redresse sur sa table. Il est encore recouvert d'un drap.

Kimberly pousse un cri. Cela vous glace le sang. Vous n'avez pas peur des fantômes, simplement l'idée d'affronter un des hommes de Glaub ne vous sourit pas. Faut-il vous cacher ? Ou pensez-vous que la forme voilée puisse être la clef du mystère ?

Si vous voulez vous enfuir, rendez-vous à la page **7**.
Si vous voulez affronter le « fantôme », rendez-vous à la page **44**.

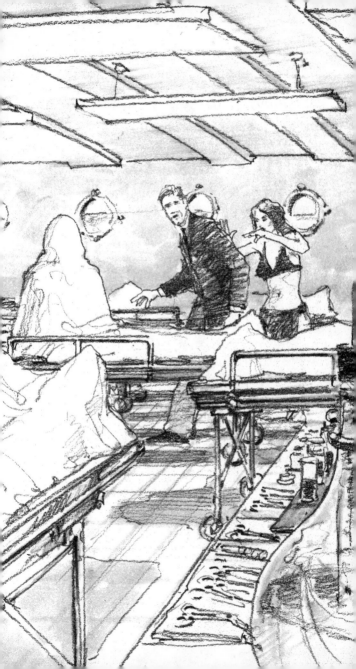

— Maintenant j'ai tout vu, dit Kimberly d'une voix hachée. Que suggérez-voús que nous fassions ?

— Que nous suivions Glaub à l'intérieur du volcan, répondez-vous tranquillement. Et ne dites pas que je ne vous ai pas emmenée dans tous les lieux chauds de Nikos.

En arrivant au bord du cratère, vous n'en croyez pas vos yeux : un long escalier en béton mène à deux portes en acier.

Deux gardes costauds se tiennent à l'entrée. L'un d'eux pousse sur un bouton à côté des portes, et elles s'ouvrent. Glaub entre, et les portes se referment silencieusement derrière lui.

A présent c'est votre tour. Est-ce que vous essayez d'écraser les gardes ? Ou est-ce que vous cherchez une autre entrée qui pourrait vous conduire tout droit au puits de lave ? C'est à vous de décider.

Attaquer les gardes ? Rendez-vous à la page **64**.
Chercher une autre entrée ? Rendez-vous à la page **8**.

38

Vous suivez le capitaine jusqu'au pont avant, où Glaub paraît surpris de vous voir.

— Quel est le problème, capitaine ? demande-t-il.

— J'ai attrapé ce yachtman en train de fouiner sur le pont inférieur, dit-il sévèrement.

Avant que Glaub ou vous puissiez dire un mot, Kimberly avance, vous regarde avec des yeux étincelants et vous flanque une bonne gifle.

— Imbécile ! crie-t-elle. Vous avez tout gâché !

Est-ce vrai ? Rendez-vous à la page **22** pour le savoir..

Glaub n'est pas bête. Maintenant qu'il vous a de nouveau sous son emprise, il n'a pas l'intention de vous tuer. Les années que vous avez passées au Deuxième Bureau feront de vous une source d'information inestimable pour lui et son employeur, Max Zorin.

Au cours des années suivantes, vous faites une bonne équipe avec Zorin. C'est vraiment très amusant de lui donner juste assez de vérité pour le garder en haleine et assez de faux renseignements pour contrecarrer presque tous ses projets malveillants.

Vous ne serez peut-être plus jamais un homme libre, mais les heures de travail ne sont pas mauvaises, Zorin possède une excellente cave à vin, et le travail est tellement stimulant :

— Oh, monsieur Zorin, est-ce que je vous ai parlé du projet secret qui consiste à attacher des émetteurs minuscules aux pattes des pingouins du pôle Sud et à les employer comme unité de reconnaissance... ?

Chouette alors !

FIN

Ayant le sentiment que les secrets les plus importants se trouvent sur le pont inférieur, vous entrez dans l'ascenseur et vous appuyez sur un bouton qui vous mène un étage plus bas. Les portes se ferment et l'ascenseur descend. Les portes s'ouvrent sur ce qui ressemble à une aire de chargement.

En tournant le coin vous apercevez des hommes vêtus d'uniformes verts en train de charger des provisions dans un petit bateau. En les regardant travailler, vous remarquez quelque chose de bizarre. Leurs mouvements sont rapides — en accéléré comme dans un vieux film muet.

Néanmoins, malgré tous leurs efforts, ils ne paraissent pas du tout fatigués. Il n'y a aucun signe de tension sur leurs visages. En fait, ils sont totalement impassibles. D'abord vous pensez que ce sont peut-être des robots, mais leur peau est trop réelle. Ce sont manifestement des êtres humains. Mais ils paraissent tout de même étranges. Servent-ils de cobayes pour les expériences de Glaub ?

Vous pouvez rester là pour essayer d'en savoir plus sur ces travailleurs déshumanisés. Ou vous pouvez remonter dans l'ascenseur pour essayer de savoir ce qui se passe derrière cette porte. Ce qu'on est en train d'imprimer vous mettra peut-être sur la bonne piste.

Rester ici ? Rendez-vous à la page **77**.
Retourner à la porte ? Rendez-vous à la page **67**.

41

Scarpine rit d'un air moqueur et s'apprête à vous embrocher contre le mur. Mais vous réagissez rapidement.

Vous tirez deux fois avec le petit revolver et Scarpine tombe raide mort par terre. Le bruit des coups de feu est plus fort que prévu.

Ce que vous craignez arrive : en quelques secondes l'équipe de Glaub entre en courant dans le laboratoire.

« Q. va devoir mettre au point un silencieux », pensez-vous au moment où une demi-douzaine de brutes en uniforme vert vous saisissent et vous désarment.

Glaub entre avec Kimberly et ses autres invités.

— Vous êtes très malin, James Bond, dit-il, mais pas assez malin pour me duper ou pour vous échapper de ce bateau ! Il ordonne à ses brutes de vous ligoter tous les deux et de vous jeter dans la cale.

Vous n'aurez peut-être jamais l'occasion de tester ce silencieux.

Rendez-vous à la page **15**.

— D'accord, admettez-vous. Le déguisement est peut-être un peu tiré par les cheveux. Mais si nous allons saboter le yacht, il nous faudra plus que du formol pour le faire.

Le visage de Windsor s'anime.

— Je pense que j'ai la réponse à ça, explique-t-il. Avant que Glaub ne m'ait drogué, j'ai vu ses hommes embarquer une caisse de nitroglycérine. Ils l'ont déposée là-bas dans le coin du laboratoire. Est-ce que de la nitro fera l'affaire ?

La nitro est très instable. Comme arme ça ne serait pas votre premier choix. Vous auriez tout donné pour avoir votre fidèle flingue. Mais vous n'êtes pas en mesure d'être difficile. Vous trouvez la nitro bien emballée dans une caisse en bois.

— Eh bien, ouvrons et jetons-y un coup d'œil, dites-vous.

— Faites attention, James, prévient Kimberly. Un bon coup là-dessus nous fera sauter jusqu'aux cieux y compris le bateau.

Vous lui faites un sourire engageant.

— Pourquoi, Kimberly chérie, dites-vous. Vous n'avez pas confiance en moi ?

Rendez-vous à la page **58**.

Vous décidez de rester pour affronter le « fantôme. »

Vous retirez le drap blanc de la forme assise. Vous êtes stupéfait par ce que vous voyez. Là, fixant les yeux sur vous et se frottant la tête, se trouve l'homme à la tache de vin.

— Mais c'est impossible, s'exclame Kimberly. Vous venez de nous ligoter !

— Non, marmonne l'homme faiblement. Ce n'était pas moi. C'était un imposteur. C'est un des " hommes du futur " de Glaub. Au moins c'est ainsi qu'il les appelle.

— Mais l'homme qui nous a ligotés vous ressemblait comme deux gouttes d'eau.

— C'est une nouvelle chirurgie plastique. Glaub lui a donné mon visage, mon corps, même mes empreintes digitales !

— Qui êtes-vous au juste ? demandez-vous.

— Je suis le commandant en chef Henry Windsor des forces de l'Alliance européenne, répond l'homme. Les hommes de Glaub m'ont enlevé avec plusieurs autres officiers qui... qui... Le militaire s'arrête.

— Qui quoi ? Qui gardent le *Barracuda* ? ajoutez-vous avec insistance. Mon nom est Bond, James Bond, et vous feriez mieux de tout me dire tout de suite !

Windsor hésite, mais finalement il vous dit ce que vous avez besoin de savoir.

Rendez-vous à la page **59**.

— Vous avez raison, Kimberly, il vaut mieux qu'on parte. Les gardes que nous avons assommés se réveilleront bientôt, dites-vous, et une fois qu'ils auront donné l'alerte, nous ne sortirons peut-être jamais.

— Je savais que vous seriez d'accord. Kimberly sourit. Partons.

Vous retournez à l'entrée. Les gardes ne sont pas là, et quand vous appuyez sur le bouton du mur, les portes en acier ne bougent pas. Tout à coup vous entendez le bruit perçant d'une sirène qui retentit dans le couloir.

— Il semblerait que nos deux amis ont déjà fait part de notre arrivée, murmurez-vous. Il faudra trouver une autre sortie.

Vous courez tous les deux dans le couloir. Au bout vous trouvez une porte. Vous ne savez pas où elle mène, mais vous vous dirigez vers elle.

Rendez-vous à la page **10**.

Vous vous glissez dans le laboratoire avec Kimberly et vous vous cachez derrière un écran. De cette position avantageuse, vous avez une bonne vue du labo. Il est rempli de corps sur des tables d'opération, d'instruments chirurgicaux et d'éprouvettes.

Des expériences sur des humains ! « Glaub est donc occupé à jouer de vilains tours de nouveau ! » murmurez-vous.

— Il semblerait que certaines de ses expériences aient réussi, chuchote Kimberly. Elle désigne quatre lourdauds vêtus de blouses blanches qui se lèvent des tables d'opération lorsque Glaub les appelle.

— Mes hommes du futur ! crie-t-il. Je vous ai apporté un cadeau !

Le garde défait le paquet et sort quatre beaux uniformes militaires.

— Essayez-les, dit Glaub, distribuant un uniforme à chaque humanoïde.

Vous secouez la tête en voyant les uniformes de plus près.

— Qu'y a-t-il, James ? demande Kimberly.

— Ce sont les uniformes des officiers spéciaux des forces de l'Alliance européenne, expliquez-vous. Ce sont les seuls autorisés à faire fonctionner le *Barracuda* pendant ses voyages d'essai !

Le complot de Glaub se clarifie.

Vite ! Rendez-vous à la page **86**.

En moins d'une heure, vous arrivez au poste d'amarrage du *Barracuda*. C'est un énorme tunnel qui semble faire partie des falaises volcaniques de l'île, mais en fait c'est une merveille d'acier et de béton réalisée par l'homme. A l'intérieur du tunnel, le *Barracuda* repose dans l'eau tandis que des militaires munis de planchettes l'examinent à fond.

Rendez-vous à la page **114**.

Vous avez l'intention de laisser échapper le gaz de vos chaussures — et de paralyser l'équipage.

En théorie le gaz semble être une bonne idée, mais vous n'en savez pas grand-chose. Est-ce que ça marchera sur quatre personnes à la fois ? Les effets durent-ils quelques minutes, quelques heures ou quelques semaines ? Q. ne vous l'a pas dit, et vous n'avez pas pensé à le lui demander.

Mais vous ne le saurez jamais à moins d'essayer. Vous vous baissez pour tirer les lacets de vos chaussures.

Vous saisissez un masque à gaz placé au-dessus de votre panneau de contrôle et vous le mettez. Le gaz paralysant remplit rapidement la salle de contrôle. En quelques instants, les hommes de Glaub sont étendus par terre.

Vous réglez les commandes sur pilote automatique et vous dirigez le sous-marin jusqu'à la base la plus proche de l'Alliance européenne. Puis, après avoir ramassé une des armes du sosie, vous vous dirigez vers la cabine des cartes pour affronter Glaub.

Rendez-vous à la page **72**.

Vous décidez que c'est le moment de jouer la sécurité et vous nagez vers la côte. Vous avertissez le commandant à la base de ce qui se passe à bord du *Barracuda*. Il lance une attaque contre le sous-marin et arrête Glaub et son équipage sans trop de violence.

Le *Barracuda* est sauvé, vous êtes un héros, et la belle Kimberly vous attend sur le yacht. Comme vous aimez les dénouements heureux !

FIN

— M. ! Et Moneypenny ! vous écriez-vous en reconnaissant votre supérieur à l'Agence et sa secrétaire, Mlle Moneypenny, toujours aussi efficace. Je ne m'attendais guère à vous rencontrer ici ! J'espère que je n'ai pas gâché votre pêche.

— Vous êtes toujours aussi malin, 007, soupire M. Mais nous avons des affaires sérieuses à discuter. Voyez-vous, nous avons une mission importante pour vous qui, je regrette, ne peut absolument pas attendre.

— Vous le regrettez ? dites-vous sur un ton sarcastique en couvant des yeux les palmiers au bord de l'eau.

— Séchez-vous maintenant et habillez-vous convenablement, James, dit Mlle Moneypenny. La brave vieille Moneypenny. Regardant toujours le côté pratique des choses.

— Oui, eh bien... dit M. jetant un coup d'œil autour du bateau et apercevant finalement le vieux marin à la barre. « Ramenez-nous à terre, s'il vous plaît, dit-il. Il y a là une voiture qui nous attend.

Pour savoir quelle mission M. vous réserve, rendez-vous à la page **57**.

Vous décidez de continuer votre inspection du laboratoire. Vous savez que Kimberly est assez grande pour se débrouiller toute seule. Du moins pour le moment, en tout cas. Vous continuez donc à lire.

Une des imprimantes contient des renseignements de toute première importance sur le *Barracuda* : sa construction, ses dimensions, sa situation exacte. Il semble que les pires soupçons de M. se vérifient. Vous devriez peut-être avertir le QG de ce qui se passe.

Il est manifestement temps d'empoigner Kimberly, de faire vos adieux à votre hôte et de faire votre rapport. En sortant du laboratoire à reculons, vous entendez un clic métallique derrière vous.

Vous vous retournez. En face de vous Scarpine tient une lame à cran d'arrêt rutilante. Ses lèvres s'ornent d'un sourire cruel.

— C'est donc vous, monsieur Bond, dit-il. Attendez que je le dise au docteur.

Restez calme et rendez-vous à la page **56.**

Les deux médecins ajustent vos liens avant de quitter la salle d'opération — apparemment pour éviter la radiation. Au moment de partir ils appuyent sur un autre bouton au mur qui actionne le laser.

Une fois qu'ils sont partis, vous sortez votre scalpel et vous commencez à couper les liens qui vous retiennent. Le dôme avance sur les rails. Il est au-dessus de votre taille à présent.

Frénétiquement, vous continuez à couper les liens. Le laser jaillira lorsque le dôme sera au-dessus de votre tête. Parviendrez-vous à couper les gros liens de cuir à temps ?

Le dôme est au-dessus de votre poitrine à présent !

Vous continuez à scier les liens, sans jamais quitter le dôme des yeux. Dans quelques secondes il sera juste au-dessus de votre tête. Vous pouvez déjà imaginer la douleur fulgurante lorsque le laser transpercera votre crâne !

Rendez-vous à la page **3**.

Vous vous asseyez à côté de Kimberly dans la salle à manger avec Glaub et ses invités.

— Comment puis-je refuser une si gentille invitation ? dites-vous. Est-ce qu'on mange bien ici ? demandez-vous à voix haute à un Japonais assis à votre droite.

Un garçon amène une grande soupière de potage au citron. Vous l'avalez avec beaucoup de bruit, au désagrément de tous.

Un des marins s'approche de Glaub. Il chuchote un mot à l'oreille du médecin. Les yeux bleus perçants de Glaub se fixent sur vous. Est-ce que Glaub a appris votre identité ? Mieux vaut sortir de là rapidement, Bond. Il ne vous reste pas beaucoup de temps !

Vous renversez délibérément votre bol de potage qui se répand autour de vous. La confusion qui en résulte vous donne assez de temps pour vous baisser sous la table afin de défaire les lacets de vos chaussures. Vous vous couvrez le nez et la bouche avec une serviette en faisant signe à Kimberly d'en faire de même.

Le gaz paralysant est activé et se répand rapidement.

Continuez à vous boucher le nez et rendez-vous à la page **76**.

Vous montez une échelle sur le côté du sous-marin afin d'atteindre la trappe. Elle est verrouillée. Tout à coup les machines du sous-marin se mettent en route et l'énorme navire commence à plonger.

Vous commencez à avoir cette sensation de plongée ? C'est l'ennui avec les sous-marins. Parfois ils peuvent vraiment vous faire descendre très bas !

Eh bien, vous aurez peut-être l'occasion de nager dans une autre aventure. En attendant, prenez quelques secondes pour penser à d'autres mots que « glouglou, glouglou, glouglou ! ».

FIN

Vous saisissez la main dans laquelle Scarpine tient le couteau et vous lui tordez le poignet. Il pousse un gémissement et le couteau tombe par terre.

— Rien de tel qu'un combat équitable, n'est-ce pas ? dites-vous. Il se rue sur votre gorge avec les deux mains et vous tombez tous les deux. Vous luttez avec acharnement parmi des rouleaux de papiers d'ordinateur. Automatiquement vous essayez d'atteindre le revolver-calculatrice dans la poche de votre veston — mais chaque fois que vous avez une main libre, Scarpine se jette sur vous et vous plaque au sol.

Les robots assistent en spectateurs passifs. Ils continuent à travailler aux terminaux, inconscients de la lutte acharnée qui se passe autour d'eux.

Vous parvenez finalement à vous mettre debout mais Scarpine vous prend par les jambes et vous tombez en arrière dans les genoux d'un robot.

— Ne vous levez pas, marmonnez-vous tandis que ses yeux rouges clignotent.

Vous n'avez pas remarqué que Scarpine s'est baissé pour ramasser son couteau à cran d'arrêt !

Rendez-vous à la page **18**.

Votre briefing au consulat britannique est court et précis.

— On nous a récemment signalé que l'ex-nazi le Dr Hans Glaub a été vu en Grèce, dit M. A présent il circule sous le nom de Mortner. Selon les rumeurs, il est en train d'effectuer des expériences secrètes dans un laboratoire caché dans la région. Il se pourrait que les expériences portent sur le génie humain et les implantations de cerveau. On dit même que votre vieil ami Max Zorin est au courant du projet.

Vous sifflez lentement. Max Zorin — l'industriel français et jadis collaborateur du KGB — est un homme auquel vous avez déjà eu affaire.

— Glaub et Zorin, dites-vous à voix basse. Quel duo ! Où est-ce que je commence ?

— Le yacht de Glaub, le *Caesar*, est ancré dans la mer Égée près de l'île grecque de Nikos, explique M. Nikos est une petite île volcanique — pas loin de la Crète.

— La Crète, dites-vous d'un air rêveur. Vous vous souvenez d'un certain rouquin sur l'île de Crète...

Rendez-vous à la page **110**.

Vous ouvrez prudemment la caisse avec une pince et avec encore plus de précaution vous sortez une petite bouteille de nitro que vous emmenez ensuite dans la cale.

— Retournez au labo avec Windsor et couchez-vous par terre, dites-vous à Kimberly.

— Pas avant que vous ne m'ayez dit ce que vous allez faire, insiste-t-elle.

— Je vais déposer la bouteille à bâbord et d'un endroit sûr je lancerai une boîte dessus, expliquez-vous. L'explosion devrait être juste assez forte pour faire un trou sur le côté du bateau et empêcher ainsi Glaub de voler le *Barracuda*.

— Pas une mauvaise idée, monsieur Bond, dit une voix douce de la porte du laboratoire. Mais je ne pense pas que ça marchera.

Vous n'avez pas besoin de regarder pour savoir qui est là.

Rendez-vous à la page **2**.

— Je suis un des officiers qui fais les voyages d'essai sur le *Barracuda*, dit Windsor. Si nous ne l'arrêtons pas, monsieur Bond, Glaub s'emparera du *Barracuda* et de ses armes nucléaires cette nuit même. Le complot doit être sur le point de se réaliser au moment même !

— Maintenant ? dites-vous presque en même temps que Kimberly.

— Exactement, explique Henry Windsor, en frottant ses yeux rougis. Le *Barracuda* doit effectuer un voyage d'essai ce soir. Mes officiers et moi étions censés le faire. Mais, à la place, ça sera Glaub et ses sosies qui s'en occuperont. Et personne ne le saura avant qu'il ne soit trop tard. Le *Barracuda* est vraiment la toute dernière arme !

— Une fois que Glaub et Zorin se seront emparés du *Barracuda*, aucun pays sur terre ne sera en sécurité, dites-vous.

Kimberly saisit votre bras. « Nous devons les arrêter, James, » chuchote-t-elle.

Vous êtes tout à fait d'accord. Mais la question est : comment ?

Rendez-vous à la page **28**.

Vous détachez rapidement l'encombrant réservoir à oxygène et vous l'enfoncez dans l'énorme bouche du requin. Sa mâchoire puissante se ferme sur la surface métallique du réservoir avec un terrible craquement.

Ce qui se passe ensuite est purement une question de chance — pour vous ou pour le requin.

Si on est mardi, vendredi, samedi ou dimanche, rendez-vous à la page **102**.
Si on est lundi, mercredi ou jeudi, rendez-vous à la page **111**.

Vous sortez votre couteau, prêt à vous battre de toutes vos forces. Au moment où le requin approche, vous comptez sur une technique que le sabreur japonais, Aki, vous a apprise. Aki chassait des requins pour s'amuser ! Si vous lui donnez un coup de couteau au bon endroit juste derrière l'œil, avait dit le professeur, il mourra instantanément. Le seul problème est d'atteindre cet endroit avant que le requin ne vous dévore.

Le requin attaque. Vous vous débattez avec lui, essayant désespérément d'atteindre le point crucial. Pendant que vous luttez, les dents du requin vous éraflent mais la blessure est superficielle. Tout à coup une occasion se présente et, saisissant le requin, vous enfoncez profondément votre couteau au point vulnérable.

Rendez-vous à la page **27,** vite !

Vous vous conformez aux ordres de Glaub et vous prenez l'ascenseur jusqu'au pont principal. Là, vous rencontrez les quatre autres sosies qui seront vos compagnons de voyage pour la soirée.

Vous montez à bord de la petite vedette avec les autres. Glaub est le dernier à monter. Il donne le signal et le moteur se met en marche. Lentement, la vedette s'éloigne du yacht et disparaît dans l'obscurité.

Rendez-vous à la page **47**.

— Je ferais bien un peu d'entraînement physique, dites-vous à Kimberly. Et vous ?

— C'est une bonne idée. Elle sourit. J'ai appris un nouveau coup de pied de karaté que je meurs d'envie d'essayer.

Vous descendez tous les deux les escaliers en courant.

— Nous sommes ici pour la visite du volcan, expliquez-vous à un des gardes en l'assommant d'un coup de poing rapide.

Aussi rapide qu'un éclair, Kimberly jette son pied en avant, frappant l'autre garde au menton.

Vous contemplez les deux corps inanimés avec satisfaction. Puis vous poussez sur le bouton et les portes en acier s'ouvrent une fois de plus.

— Après vous, ma chère, dites-vous, vous inclinant devant votre compagnon. Je m'amuse toujours tellement avec vous, Kimberly. Vous riez en montrant le chemin vers le volcan.

Rendez-vous à la page **68**.

Vous décidez que le bluff ne marchera pas. Il vaut mieux rester en vie avec l'espoir de déjouer les intentions de votre ennemi, plus tard, que de devenir un héros mort.

Vous tenez t-r-è-s prudemment la bouteille de nitroglycérine devant Glaub. Il tend la main pour la prendre. Mais la peur peut troubler le plus calme des malotrus. La main de Glaub tremble et la bouteille glisse entre ses doigts. En touchant le sol elle explose. C'est le dernier bruit que vous entendrez tous en ce monde.

Mais n'ayez pas trop de remords. Il y a deux consolations : une, Glaub ne s'emparera jamais du *Barracuda* ; deux, il y a un banquet commémoratif en votre honneur. C'est la fête de l'année. Dommage que vous n'y soyez pas !

FIN

— James ! s'écrie Kimberly au moment où Egon s'apprête à vous lancer dans le puits de lave.

Vous vous attendez à ne plus jamais entendre une voix humaine. Mais cet unique mot va vous sauver la vie.

Les yeux bleu clair de Glaub s'illuminent. Il lève une main et Egon se fige. « James ? dit-il. Il me semblait vous avoir reconnu. Vous êtes James Bond !

— A votre service, marmonnez-vous de votre position élevée.

— Déposez-le, Egon, commande le docteur. James Bond est bien trop précieux pour être jeté si négligemment.

Pendant qu'Egon vous fait descendre, Glaub tire sur le levier qui referme le plancher au-dessus du puits de lave. Ensuite il pousse sur un bouton près de la porte. Un technicien portant une énorme seringue apparaît. Il se dirige droit vers vous.

— Vraiment, docteur, ça n'est pas nécessaire, dites-vous. J'ai déjà eu ma piqûre de rappel. Vous sentez une piqûre dans votre bras droit et vous sombrez rapidement.

Les derniers mots que vous entendez avant de perdre conscience sont prononcés par Glaub. « Emmenez-le le plus loin possible, dit-il. Mais laissez la fille ici. J'ai d'autres projets pour elle. »

Rendez-vous à la page **116**.

Au moment où vous vous approchez de la porte, le clic-clac de l'imprimante que vous avez entendu auparavant s'arrête. Vous tournez la poignée et vous entrez. La pièce est, comme vous vous en doutiez, une salle d'ordinateurs. Six robots sont assis aux terminaux, occupés à taper sur des claviers. Ils ressemblent à des modèles de construction géants et des ampoules rouges clignotantes leur servent d'yeux. Vous avez la nette impression d'avoir fait irruption dans un film de science-fiction.

Vous vous cachez derrière un des terminaux. Vous trébuchez sur un fil et un livre tombe lourdement par terre. Les robots ne prêtent pas la moindre attention au bruit ni à vous. Ils continuent leur travail.

Ils doivent être programmés pour ne travailler que sur les ordinateurs. C'est une excellente occasion d'examiner les lieux et de lire les renseignements sur les imprimantes installées dans tous les coins du labo.

— Excusez-moi, mon vieux, dites-vous à l'un des robots en vous servant de ses papiers.

Les imprimantes sont très révélatrices !

Rendez-vous à la page **105**.

Vous entrez dans un couloir étroit. L'édifice se trouve dans une sorte de caverne. Certains des murs sont en pierre et semblent être carrément découpés dans le volcan.

— Quelle planque ! s'exclame Kimberly à voix basse.

— Et j'ai le sentiment qu'il y a aussi un laboratoire quelque part ici, chuchotez-vous.

Rendez-vous à la page **69**.

Au bout du couloir vous arrivez à une passerelle. Vous regardez au-dessus du garde-fou. En bas, dans une grande pièce, vous apercevez Hans Glaub. Il est grand et chauve et sa peau ressemble à du vieux parchemin. Il parle devant un grand écran vidéo.

Le visage sur l'écran est cruel, avec des yeux perçants — l'un marron et l'autre bleu. Vous connaissez bien ce visage. C'est le mystérieux milliardaire, Max Zorin. Dans le passé, Zorin a été rattaché au KGB, au terrorisme international et pire encore.

— Prévenez-moi aussitôt qu'il y a du nouveau au sujet du projet B, dit Zorin à Glaub avant de disparaître.

— Est-ce que B peut vouloir dire *Barracuda* ? chuchote Kimberly.

— Eh bien, ça peut aussi vouloir dire basketball, mais votre théorie paraît plus logique, dites-vous.

— Sortons d'ici et informons M. Cela l'intéressera de savoir que Zorin est impliqué, dit Kimberly anxieusement.

— Vous avez raison, mais nous devrions peut-être rester un peu plus longtemps dans l'espoir d'apprendre autre chose, répondez-vous.

Quels conseils suivez-vous — les vôtres ou ceux de Kimberly ?

Si vous voulez quitter la cachette maintenant, rendez-vous à la page **45**.
Si vous voulez rester un peu plus longtemps, rendez-vous à la page **35**.

Vous vous précipitez sur Glaub. Vous vous dites que vous aurez le temps de sauver Kimberly après avoir maîtrisé le médecin. Vous vous jetez sur les jambes de Glaub et il tombe par terre avec un bruit sourd. Mais il vous donne des coups de pied violents avec ses grosses bottes. Vous sentez une douleur qui vous oblige à le lâcher.

Glaub sort en trébuchant. Vous partez en titubant à sa poursuite. Mais les quelques secondes que vous avez perdues sont fatales.

Glaub a appuyé sur le bouton et les portes coulissantes commencent à se refermer. Vous êtes pris entre les deux, incapable de bouger. Vous restez là, impuissant, incapable d'attraper Glaub ou d'aider Kimberly. Vous regardez Glaub se diriger vers le bord du cratère où il est en lieu sûr. Derrière vous, vous entendez une violente explosion au moment où les murs de la cachette cèdent, et la lave jaillit dans la pièce. Entre-temps, les portes se referment sur vous. Quelle défaite écrasante !

FIN

Vous décidez de sortir du filet. Mais comment ?

Votre couteau est toujours fourré dans le requin. Le seul espoir qui vous reste est le verre de votre masque. Vous le brisez avec votre poignet, vous saisissez un morceau pointu avec lequel vous commencez à couper le filet qui vous retient prisonnier.

En quelques secondes, vous en avez tailladé suffisamment pour vous permettre de vous extraire. Fier de vous, vous vous éloignez du filet, droit dans les bras d'une pieuvre géante.

Il faut reconnaître votre supériorité, Bond. Il faut la reconnaître huit fois, en fait. Ce nouvel adversaire sait comment dédramatiser une situation. Vous pourriez dire que vous êtes dans le pétrin. Vous pourriez aussi dire que c'est… la

FIN

Vous retirez votre masque à gaz et vous ouvrez doucement la porte de la cabine des cartes. Glaub se penche sur une petite table. Il vous regarde et aperçoit le revolver que vous tenez braqué sur lui.

— Bond ! s'écrie-t-il. Comment êtes-vous arrivé ici ?

— Eh bien, je suis venu avec vous, docteur, expliquez-vous. C'était amusant d'être un de vos hommes du futur pendant un petit moment. Mais à partir de maintenant, ça sera moi qui donnerai des ordres.

Le corps de Glaub se raidit et il vous lance un regard furieux de l'autre côté de la table.

— Vous avez eu beaucoup de chance jusqu'à maintenant, monsieur Bond, dit-il. Mais j'ai l'impression qu'elle est en train de s'épuiser.

Glaub a-t-il raison ? Est-ce que la chance de Bond durera ? Vite. Choisissez un chiffre de un à dix pour le savoir.

Si vous avez choisi, 1, 3, 5, 7 ou 9, rendez-vous à la page **80**.
Si vous avez choisi 2, 4, 6, 8 ou 10, rendez-vous à la page **90**.

Vous vous retournez et vous vous trouvez face à face avec le capitaine du yacht de Glaub. Il vous regarde avec défiance. C'est le moment de redevenir Cecil Bunbridge et d'espérer pour le mieux.

— Euh, je jetais simplement un coup d'œil sur le bateau, répondez-vous sans hésiter à sa question. C'est un beau petit bateau que vous avez là. Très impressionnant.

D'après ses yeux froids, il ne vous croit pas.

— Venez, dit-il, en posant une main lourde sur votre épaule. Allons voir le Dr Mortner. Vous pouvez lui raconter votre histoire.

Comment allez-vous vous tirer de ce mauvais pas ?

Vous êtes sur le point de le savoir à la page **39**.

Afin d'attirer l'attention de l'équipage et des invités à bord du *Caesar*, vous envoyez un SOS urgent sur votre radio.

Le *Caesar* reçoit votre message et vous permet de le longer. Glaub/Mortner et ses invités se tiennent près de la balustrade et vous regardent avec inquiétude.

— Quel est le problème ? demande le docteur.

— Une catastrophe, répondez-vous. Nous avons complètement épuisé notre stock de champagne !

Rendez-vous à la page **75**.

Quelques invités trouvent ça très drôle. Mais cela n'amuse pas Glaub. Vous parvenez à monter à bord de son yacht avant qu'il n'ait l'occasion de vous arrêter. Kimberly vous suit — permettant à tout le monde de voir son joli maillot de bain.

— Je n'apprécie pas votre sens de l'humour, monsieur..., dit Glaub.

— Je m'appelle Cecil Bunbridge, lui dites-vous en lui serrant cordialement la main. Et voici mon amie Kimberly... Smith.

Les invités du sexe masculin sont immédiatement séduits par Kimberly.

Même Glaub paraît plus accueillant face à sa beauté. C'est justement ce que vous aviez espéré.

— Je suis le Dr Mortner, dit-il d'un ton charmeur quand Kimberly lui sourit.

Rendez-vous à la page **85**.

Glaub et les autres invités sont immédiatement asphyxiés par le gaz. Mais vous et Kimberly sautez par-dessus la balustrade dans l'eau avant d'y succomber. Une fois à bord de votre sloop, vous vous dirigez chez vous.

Votre « chez vous » est le quartier général de l'île de Crète où vous informez M. des résultats de vos recherches.

Le *Barracuda* est transféré en lieu sûr. Les forces de l'Alliance européenne montent rapidement à bord du yacht de Glaub, où lui et ses amis sont toujours sous les effets du gaz. Ils auront largement le temps de dormir par la suite — derrière les barreaux.

Plus tard ce soir-là, vous vous rendez avec Kimberly dans une petite caverne où, tout en dégustant une moussaka et de la retsina, vous évoquez la mission.

— James, ronronne Kimberly, cette mission était très amusante, n'est-ce pas ?

— Ma chère, répondez-vous en remplissant son verre, c'était explosif !

FIN

Vous décidez d'aller voir ce qui se passe en bas. Prudemment, vous vous approchez du petit bateau. Vous pouvez lire les étiquettes sur les caisses que les hommes bizarres sont en train de charger. Elles contiennent des fusils, des munitions et des explosifs. Glaub a peut-être vraiment l'intention d'essayer d'atteindre le *Barracuda*. Est-il vraiment assez fou pour croire qu'il pourrait franchir le service de sécurité avec seulement quelques hommes et des fusils ?

Pendant que vous regardez travailler les hommes, quelqu'un vous tape légèrement sur l'épaule.

— Que faites-vous ici ? demande une grosse voix.

Réfléchissez vite, vous êtes dans le pétrin maintenant !

Rendez-vous à la page **73**.

Vous décidez que votre premier objectif est de sauver la vie de Kimberly. Vous saisissez la tête d'Egon en la serrant de toutes vos forces. Mais ce géant a les muscles du cou d'un éléphant. Il pousse simplement un grognement, lâche Kimberly et se retourne pour s'occuper de vous.

Vous envoyez un bon coup de gauche dans l'estomac d'Egon. C'est comme si vous frappiez une voiture ! Hurlant de douleur, le gorille de Glaub vous saisit avec les deux bras et vous soulève au-dessus de sa tête.

Vous contemplez le puits bouillonnant de lave. Dans une seconde vous serez frit !

On dirait que la chance de Bond s'est épuisée !

Rendez-vous à la page **66**.

— Vous faites erreur, docteur. C'est vous dont la chance s'est épuisée, dites-vous.

— Dites ça aux quatre hommes derrière vous, répond Glaub avec un sourire.

— Vous bluffez maintenant, dites-vous. Mais malheureusement ce n'est pas le cas.

Une main puissante s'empare de votre revolver. Vous êtes en présence des quatre hommes d'équipage que vous pensiez avoir asphyxiés avec le gaz. Apparemment le gaz paralysant de Q. a perdu son effet beaucoup plus tôt que prévu.

— Eh bien, monsieur Bond, dit Glaub tandis que ses malabars vous empoignent, voici votre choix ultime. Préférez-vous une balle dans la tête ou une dose de poison ?

Quel choix ! Les paroles célèbres de W.C. Fields vous viennent à l'esprit : « Tout compte fait, je préférerais être à Philadelphie ! »

C'est bien dommage. Vous n'y arriverez jamais. Et si vous y parveniez, vous auriez peut-être la désagréable surprise de constater que cette ville est dirigée par Glaub et Zorin. Il n'y a pas d'issue, 007. Vous avez échoué. Le *Barracuda* tombe effectivement entre les mains de vos ennemis. Zorin tient le monde en otage...

Assez ! Vite, passez le poison ! A votre santé !

FIN

Le souvenir de ce requin affamé est encore trop vif pour vous inciter à retourner dans l'eau pour le moment. Alors vous décidez de dépister Glaub sur la terre ferme.

A l'hôtel, vous rencontrez Kimberly Jones, l'autre agent affecté à cette mission. Vous avez partagé des aventures passionnantes dans le passé — pas toutes en rapport avec le travail.

Vous louez une Land-Rover et vous roulez jusqu'à la crique isolée où se trouve la villa de Glaub. Vous cachez la voiture derrière des rochers et vous vous approchez prudemment de la villa à pied.

« Que faisons-nous à présent ? demande Kimberly.

— Nous attendons que Glaub sorte, répondez-vous.

— Cela pourrait être long », soupire Kimberly. Le guet n'est pas son activité favorite.

Mais vous avez de la chance. Avant une heure, Glaub apparaît.

« Venez, chuchotez-vous à votre compagnon. Suivons-le. »

Rendez-vous à la page **20**.

— Très bien, docteur, dites-vous. Voyons qui est en train de bluffer, vous ou moi.

Sur ce, vous ouvrez la bouteille et lentement vous commencez à l'incliner. Une goutte de nitroglycérine coule dangereusement près du bord de la bouteille.

Vous fixez Glaub droit dans les yeux. La sueur coule sur son visage pâle. Vous sentez la sueur couler sur votre visage également. Mais vous assurez votre main avant d'incliner la bouteille un tout petit peu plus.

Surveillez cette goutte et rendez-vous à la page **97**.

La salle de contrôle est bien éclairée, mais Glaub est tellement pris par le succès de sa mission qu'il vous regarde à peine.

Vous vous asseyez aux commandes. Bien sûr, vous n'avez jamais actionné un sous-marin nucléaire auparavant, mais est-ce très difficile ?

En peu de temps vous avez réussi à mettre les moteurs du sous-marin en marche. Il descend de 30 mètres dans les eaux bleues de l'Égée avant de partir en avant comme une flèche.

Dix minutes passent. Vous contemplez vos quatre collègues qui vaquent tranquillement à leurs occupations. Glaub est dans la cabine des cartes, occupé à tracer la route vers la cachette où il projette de garder le *Barracuda*.

C'est le moment d'agir — avant de vous rapprocher davantage de la cachette de Glaub. Alors qu'attendez-vous ?

Rendez-vous à la page **48**.

Le mouvement de l'avion vous lance contre la porte. Vous tendez les bras pour prendre les commandes et vous parvenez à le redresser. L'homme de Glaub est sans connaissance à l'arrière et vous n'avez pas à vous en faire pour le moment.

Vous examinez les cartes. Vous êtes effectivement dans l'espace aérien italien. Dans deux heures vous pourriez être en Grèce. Devriez-vous essayer de retourner à l'île de Nikos ? Il est peut-être encore temps de sauver le *Barracuda* et Kimberly. Ou devriez-vous envoyer un message par la radio à M. pour demander de l'aide ?

Non, vous ne pouvez pas envoyer de message. Les hommes de Glaub intercepteraient la transmission. Ce que vous avez de mieux à faire, c'est de continuer.

Mais attendez. Vous jetez un coup d'œil sur la jauge d'essence. L'aiguille indique moins d'un quart de contenance. Devriez-vous vous arrêter pour faire le plein en Italie ? Ou devriez-vous vous diriger directement en Grèce, en espérant ne pas tomber en panne de carburant ? C'est une des décisions les plus difficiles que vous aurez à prendre.

Si vous pensez devoir atterrir en Italie pour refaire le plein, rendez-vous à la page **118**.
Si vous voulez prendre le risque d'aller jusqu'en Grèce, rendez-vous à la page **19**.

— Vous avez un si beau yacht, ronronne Kimberly, jouant son rôle de blonde évaporée.

Glaub lui fait un sourire radieux et fait signe à un homme rondelet en complet blanc.

— Scarpine, dit-il, allez chercher du champagne pour nos derniers invités.

Scarpine ressemble à une brute. Mais ce qui est plus inquiétant c'est qu'il ressemble à une brute de connaissance. Vous espérez qu'il ne vous reconnaîtra pas.

En vous servant le champagne, Scarpine vous jette un regard sombre. Vous vous éloignez de la foule. Le moment paraît opportun pour examiner le bateau. Comme toute l'attention est concentrée sur Kimberly, votre absence sera à peine remarquée.

— Excusez-moi, mon vieux, dites-vous à Glaub en lui tapant dans le dos. Pourriez-vous m'indiquer les toilettes ?

Glaub vous jette le genre de regard normalement réservé à un cafard et vous montre le chemin.

Beau travail ! Ça vous donne l'occasion de visiter le yacht.

Rendez-vous à la page **107**.

— On dirait que Glaub projette de remplacer les vrais officiers sur le *Barracuda* par ses hommes et de le voler de cette façon ! chuchotez-vous à Kimberly. Venez, je pense que nous avons tous les renseignements dont nous avons besoin. Sortons d'ici maintenant.

Mais au moment où vous vous dirigez vers la porte du laboratoire, vous heurtez malencontreusement une rangée d'éprouvettes qui tombent par terre. Glaub est immédiatement alerté par le bruit de verre cassé. Il vous aperçoit à la porte.

— Des intrus ! s'écrie-t-il. Arrêtez-les !

Vous courez à toute vitesse avec Kimberly. Les quatre « hommes du futur » vous poursuivent. De l'autre côté s'amènent les deux gardes que vous avez assommés à l'entrée. La seule sortie qui vous reste est une porte située sur le côté gauche du couloir.

Prenez-la !

Rendez-vous à la page **91**.

Lorsque vous quittez le bureau de M., Mlle Moneypenny vous appelle de son bureau. « J'ai quelque chose pour vous, James. » Elle tient une petite valise. « Ce sont quelques nouveaux gadgets que Q. aimerait que vous essayiez », explique-t-elle.

A l'intérieur de la valise, vous trouvez une paire de chaussures de canotage, une chaîne en or, et une calculatrice de poche.

— Remerciez Q. pour les chaussures. Mais dites-lui que j'ai déjà une calculatrice et que je ne porte pas de chaîne !

— Ouvrez la calculatrice. Moneypenny sourit.

En l'ouvrant, vous découvrez que la calculatrice est en fait un beau petit revolver de la taille d'un portefeuille.

Les chaussures sont tout aussi trompeuses. Une toute petite boîte de gaz est cachée dans chaque semelle. Lorsqu'on tire sur un lacet, un gaz s'échappe, paralysant temporairement l'ennemi.

La chaîne, en l'occurrence, est un transformateur de voix unique. Lorsque vous la mettez autour du cou, votre voix est immédiatement déguisée.

— Vous n'allez pas me souhaiter bonne chance ? dites-vous à Moneypenny en fermant la valise.

— Vous n'avez pas besoin de chance, James, répondit-elle. Vous êtes né avec.

Rendez-vous à la page **96**.

Une sueur froide coule le long de votre visage. Vous devez vous trouver dans l'hôpital de Glaub, à la merci de ses médecins. Et vous n'avez pas l'impression que « le Tigre » soit une expression argotique voulant dire amygdalectomie.

Vous regardez autour de vous dans l'espoir de trouver une arme pour vous défendre. Sur une table à portée de main vous apercevez un petit scalpel. Vous vous en saisissez et vous le cachez dans votre main.

Vous avez agi juste à temps, car une seconde plus tard, un autre médecin, qui est manifestement le chef, entre dans la pièce.

— Ah, il est conscient, dit-il. Très bien. Ce serait dommage pour M. Bond de rater un seul instant de sa transformation historique. Serrez les liens autour de ses bras et commençons, dit-il à l'infirmier.

Vous avez deux possibilités. Vous pouvez vous servir du scalpel et attaquer tout de suite. Bien qu'ils l'emportent en nombre, trois contre un, vous bénéficiez de l'élément de surprise.

Ou vous pouvez attendre dans l'espoir de trouver une autre occasion avec des chances égales.

L'infirmier se rapproche. Décidez maintenant.

Si vous décidez d'attaquer maintenant, rendez-vous à la page **119**.
Si vous décidez d'attendre une meilleure occasion, rendez-vous à la page **98**.

La coulée de lave rattrape rapidement les hommes en fuite. Vous détournez les yeux, incapable d'assister à l'engloutissement de Glaub et des autres par les vagues tourbillonnantes de lave.

Avec Kimberly, vous descendez l'autre versant de la montagne, qui n'a pas été touché par la lave. Les cendres volcaniques brûlent légèrement vos corps mais vous atteignez néanmoins le pied de la montagne où une équipe de sauvetage de Crète vous amène en lieu sûr.

— Avez-vous vu d'autres personnes sur le volcan ? demande un des sauveteurs.

— Juste un ami médecin et ses copains, répondez-vous. Mais je crains qu'ils aient été emportés par toute cette lave !

— James, c'est terrible ! dit Kimberly en riant.

— Oh ! Kimberly, vous êtes un vrai volcan !

— Ça c'est pire ! Elle pousse un gémissement.

Elle a raison ! Vite, fermez le livre avant d'être soumis à un châtiment encore plus cruel !

FIN

— Continuez à parler, Glaub, dites-vous. Entre-temps, si ça ne vous dérange pas, j'emprunterai votre radio.

Vous tenez le médecin en joue pendant que vous appelez la base de l'Alliance européenne. Lorsqu'ils apprennent ces nouvelles renversantes, ils acceptent d'envoyer un canot pour vous rejoindre.

Quinze minutes plus tard, Glaub et ses acolytes titubants quittent le *Barracuda* sous l'escorte d'un garde armé.

— Au revoir, docteur Glaub, dites-vous. C'était un plaisir de travailler pour vous.

— Vous me reverrez, monsieur Bond, grogne-t-il.

En effet, c'est vrai. Plus tard, vous serez un témoin important à son procès. Vous contribuerez à mettre Glaub hors de combat pendant 199 ans. Dommage que Max Zorin ne fût pas sur ce sous-marin également.

— Est-ce que nous pouvons vous conduire quelque part ? demande le commandant en second lorsque vous arrivez à la base de l'Alliance européenne.

— Non, lui répondez-vous. Mais je vous saurais gré de me prêter un hélicoptère et un pilote pendant quelques heures, commandant.

— Vous les avez, consent l'officier.

Rendez-vous à la page **121**.

Vous tirez d'un coup sec sur la poignée de la porte, qui s'ouvre. A l'intérieur, dans l'obscurité, vous glissez sur un toboggan serpentant. Cela vous rappelle les toboggans que vous avez connus dans un parc d'attractions dans votre enfance. Seulement cette balade-ci n'est pas un voyage de plaisir.

Vous et Kimberly atterrissez sur un sol dur. En vous relevant, légèrement étourdis, vous vous trouvez face à face avec Hans Glaub qui vous sourit malicieusement.

— Eh bien, dit le médecin. Des visiteurs inattendus ! Comme c'est gentil d'être venus nous voir !

Respirez profondément et rendez-vous à la page **16**.

— Vous n'avez pas oublié mon sosie ? demande Windsor. Glaub aura sûrement des soupçons quand il vous verra en double dans la vedette.

— Je m'occuperai de lui d'abord, dites-vous d'un ton assuré. Mais vous ne savez pas comment vous allez vous y prendre.

— Nous nous cacherons ici dans l'espoir que personne ne nous trouvera, dit Kimberly.

Vous sortez par la porte principale du laboratoire qui est grande ouverte. Au moment où vous passez devant l'ascenseur, les portes s'ouvrent. Et là, droit devant vous, se trouve Windsor-2 en personne !

Votre gorge se serre.

Rendez-vous à la page **32**.

Vous nagez vite, mais le requin va encore plus vite. Il a reniflé votre sang dans l'eau et ça l'a rendu fou.

Juste au moment où vous avez l'impression que vos vacances de rêve vont se terminer d'une façon cauchemardesque, une chose inespérée se produit. Un énorme filet de pêche tombe sur vous. Vous auriez souhaité qu'il tombe sur le requin à la place. Mais dans ces circonstances vous n'allez pas vous plaindre de cet accident heureux.

Le filet commence à monter. Quelqu'un est en train de le hisser. Vous pensez tout à coup à quelque chose. Pourrait-ce être un de vos ennemis qui a réussi à vous piéger de façon si ingénieuse ? Vous pouvez attendre pour le savoir — ou vous pouvez essayer de vous échapper.

S'échapper du filet ? Rendez-vous à la page **71**.
Attendre et voir à qui appartient le filet ? Rendez-vous à la page **4**.

93

Vous avancez à la lumière de la torche. Glaub pousse un cri explosif. Tant pis, c'était amusant tant que ça a duré. Mais attendez ! La colère de Glaub ne s'adresse pas à vous, mais au garde qui tient la torche.

— Éteignez cette lumière, imbécile ! hurle-t-il. Nous ne voulons pas attirer l'attention plus qu'il ne le faut !

— Désolé, monsieur, marmonne le garde, en éteignant la lumière. Je croyais simplement que vous vouliez que j'agisse comme un vrai garde pour ne pas éveiller les soupçons.

— Ce n'est pas à vous de croire quoi que ce soit, répond Glaub en serrant les dents. Contentez-vous de faire ce que je vous dis. Compris ?

Vous poussez un soupir de soulagement avant de suivre les autres dans la salle de contrôle du *Barracuda*.

Rendez-vous à la page **83**.

Vous décidez que la meilleure façon de vous échapper est par avion et vous courez à toute vitesse vers la petite piste d'atterrissage. Derrière, vous entendez des voix en colère et des pas lourds et également les tirs d'une mitrailleuse. L'avion le plus proche est encore à une vingtaine de mètres.

Vous avez les pieds engourdis et vous trébuchez en courant. Encore une dizaine de mètres. Une rafale de mitrailleuse passe à quelques centimètres de vos pieds. Huit mètres... cinq mètres. Une balle vous rase la tempe. Le sang vous coule dans les yeux, mais vous l'ignorez. Dans un dernier sursaut, vous vous précipitez vers la porte de l'avion qui s'ouvre.

Vous constatez que la clé est sur le contact. Apparemment un des équipages de Glaub avait l'intention de décoller. Heureusement pour vous. Vous tournez la clé et le moteur se met en marche dans un ronflement. Le bruit assourdit les cris furieux des hommes de Glaub qui s'approchent de l'avion. Mais ils arrivent une seconde trop tard. En actionnant le levier de commande, l'avion s'élance et quitte le sol. Vous montez de plus en plus haut vers le ciel bleu.

Il semblerait que vous ayez réussi à vous échapper. Mais les apparences sont parfois trompeuses.

Rendez-vous à la page **113** et faites attention !

Vous prenez le prochain vol à destination d'Athènes et ensuite un petit avion privé jusqu'à l'île de Crète, et finalement un hydroglisseur jusqu'à Nikos.

Nikos est un endroit extraordinaire. Les falaises volcaniques gris-pourpre s'élèvent d'une centaine de mètres au-dessus de la mer Egée. Des oliviers sont suspendus aux parois, se défendant vaillamment contre les intempéries que constituent le sel, le vent et le volcan lui-même.

Mais vous n'êtes pas ici pour étudier ce paysage fascinant. Vous devez commencer vos recherches tout de suite.

Deux projets vous viennent à l'esprit. Vous pouvez commencer en mer en vous procurant d'une manière ou d'une autre une invitation sur le yacht de Glaub. Ou vous pouvez commencer à terre dans la villa de l'ex-nazi. Lequel choisissez-vous ?

Si vous voulez visiter le yacht, rendez-vous à la page **101**.
Si vous voulez commencer par la villa, rendez-vous à la page **81**.

— Arrêtez ! s'écrie le médecin. Ne le faites pas ! Vous nous tueriez tous !

— Ferez-vous ce que je vous dis ? demandez-vous.

— Oui, oui ! dit Glaub. N'importe quoi !

Tenant toujours fermement la bouteille, vous dites à Glaub et à ses acolytes de jeter leurs armes par terre.

Kimberly et Windsor récupèrent les armes et vous conduisez ensuite Glaub et son équipage à la cale où vous les enfermez avant d'appeler M. au moyen de la radio. Vous lui dites que vous avez mis fin au complot qui consistait à voler le *Barracuda*. Il envoie immédiatement des secours au yacht.

— Que faisons-nous à présent ? demande Kimberly.

— Nous allons rassurer les invités de Glaub sur le pont que la fête n'est pas terminée, nous servir du champagne et attendre les renforts, expliquez-vous.

Kimberly glisse son bras sous le vôtre.

— J'espère qu'ils n'arriveront pas trop vite, dit-elle.

Vous ne pouvez pas vous empêcher d'être d'accord avec elle.

FIN

Vous décidez d'attendre une meilleure occasion. Vous gardez le scalpel caché dans la main pendant qu'on vous sort de la chambre pour vous amener dans un long couloir étroit.

En passant devant une fenêtre, vous entrevoyez des montagnes enneigées et un homme portant un chapeau tyrolien. Est-il possible que vous soyez dans les Alpes ? Les Alpes italiennes peut-être ? Vous avez souvent skié à Cortina d'Ampezzo.

Aïïee ! En passant dans un autre couloir, vous entendez un cri épouvantable.

De chaque côté, vous entendez des gémissements faibles et des grognements étranges. Dans la faible lumière du couloir, vous pouvez distinguer de grandes cages contenant des créatures aux silhouettes vagues — mi-animales, mi-humaines. Comme la créature que vous avez aperçue plus tôt, ceux-ci doivent être les produits des expériences inhumaines de Glaub. Vous réalisez tout à coup que si vous ne réagissez pas rapidement, vous occuperez bientôt vous-même une de ces cages.

Rendez-vous à la page **11.**

Vous vous rapprochez de Glaub, essayant de rester dans l'ombre.

— Qu'y a-t-il, docteur ? dites-vous.

— Que faites-vous ici dans la cale ? demande Glaub d'un ton brusque.

— J'étais simplement en train de surveiller les prisonniers, répondez-vous. On n'est jamais trop prudent avec un individu comme ce James Bond, monsieur.

Le visage sévère de Glaub se transforme en un sourire.

— Bien pensé, Windsor-2, dit-il. Votre initiative montre que vous êtes un exemple supérieur d'homme du futur.

— Merci, monsieur, dites-vous, souriant à vous-même.

— Montez maintenant sur le pont et apprêtez-vous à embarquer sur la vedette, dit Glaub.

— Oui, monsieur.

Rendez-vous à la page **63**, homme du futur..

Vous décidez d'approcher Glaub par la mer. Vous avez l'intention de vous déguiser en yachtman américain pour essayer d'obtenir une invitation sur le yacht de Glaub. Afin de mettre votre projet à exécution, vous vous assurez l'aide de Kimberly Jones, une belle jeune agente avec qui vous avez déjà travaillé.

— Je suis contente de vous revoir, James, dit Kimberly à votre rendez-vous à la marina.

— Mon nom est Cecil Bunbridge, ma chère, répondez-vous. Yachtman à temps partiel et playboy américain à temps plein. Et vous êtes la " playmate " de cette année.

— J'ai l'impression qu'on va s'amuser, dit-elle. Quant commençons-nous la mascarade ?

— Tout de suite, dites-vous.

Après avoir affrété un sloop, vous repérez rapidement l'énorme yacht de Glaub.

Passant près d'une série de rochers dangereux, vous vous approchez suffisamment du *Caesar* pour voir Glaub en compagnie de quelques amis sur le pont.

— Ça a l'air d'être des gens distingués, murmure Kimberly.

— C'est vrai, dites-vous. Montons à bord pour essayer de savoir ce que Glaub et ses invités sont en train de mijoter.

Rendez-vous à la page **74.**

Le requin affamé dévore goulûment le réservoir à oxygène tout entier en deux grandes bouchées. Si vous espériez que cela donnerait satisfaction à son appétit, vous ne savez pas grand-chose des habitudes alimentaires des requins.

Le réservoir était un amuse-gueule. C'est vous le plat de résistance !

Le requin se rapproche de plus en plus. Même le grand James Bond ne peut pas devancer un requin à la nage. En regardant s'ouvrir les mâchoires géantes qui vont vous engloutir, vous vous rendez compte que c'est une façon très insipide de trouver la mort. Le requin n'est pas d'accord. Il trouve que vous avez beaucoup de goût.

FIN

Vous vous félicitez en retournant dans le couloir qui mène à l'ascenseur. Mais tout à coup vous apercevez Glaub lui-même. Et ce qui est pire, il vous voit.

— C'est vous, Windsor-2 ? demande-t-il.

— Oui, monsieur, répondez-vous avec votre voix déguisée.

Glaub vous regarde fixement, ne disant rien pendant un long moment.

— Venez ici, dit-il finalement. J'aimerais vous parler un instant.

Vous sentez votre cœur battre très fort dans votre poitrine. Est-ce qu'il vous reconnaît ? Prenez-vous le risque d'aller près de lui ? Ou vaudrait-il mieux aller chercher Kimberly et Windsor pour saboter le yacht ? Décidez !

Aller vers Glaub ? Rendez-vous à la page **100**.
Courir chercher vos amis ? Rendez-vous à la page **106**.

Vous courez à toute vitesse avec Kimberly et les autres vers l'entrée principale — celle avec les portes coulissantes.

Glaub est juste devant vous maintenant. Ses hommes sont tous sortis et il n'y a plus que vous, Glaub et Kimberly dans le couloir. Voici l'occasion de vous emparer de Glaub et de confisquer sa serviette.

Juste à ce moment Kimberly pousse un cri de douleur. En vous retournant vous voyez qu'elle est tombée.

— Aidez-moi, James ! hurle-t-elle, se tenant la cheville. Je ne peux pas me relever !

Qu'est-ce que vous allez faire ? Si vous vous arrêtez pour aller rechercher Kimberly, Glaub pourrait s'échapper. Devriez-vous attraper Glaub d'abord avant de retourner chercher Kimberly ? D'un autre côté, des tonnes de lave brûlante sont sur le point de transpercer les murs. Il n'y aura peut-être pas de plus tard ! Décidez maintenant !

Voulez-vous aller rechercher Kimberly d'abord. Rendez-vous à la page **29**.
Attraper Glaub d'abord ? Rendez-vous à la page **70**.

104

Les imprimantes vous donnent toutes raison de croire que Glaub va essayer de voler le *Barracuda*. Mais comment et quand ? Les renseignements doivent se trouver ici quelque part dans ces piles de papiers.

Mais qu'en est-il de Kimberly ? Elle est seule sur le pont avec Glaub et compagnie. Disposez-vous d'assez de temps pour lire tout ça ? Glaub est peut-être déjà soupçonneux de votre disparition. Il est peut-être temps de retourner faire acte de présence sur le pont.

Si vous voulez examiner davantage le labo, rendez-vous à la page **51**.
Si vous pensez qu'il vaudrait mieux retourner sur le pont, rendez-vous à la page **112**.

Vous courez ! Dans un couloir, à travers une salle de provisions. Vous regardez derrière vous — et il n'y a personne.

Vous vous arrêtez, vous respirez un bon coup et vous sentez quelque chose de froid et de dur dans le dos. En inclinant légèrement la tête, vous apercevez le canon en acier d'un Lüger allemand entre vos côtes. Hans Glaub tient l'autre bout.

— C'est un beau revolver, dites-vous d'un ton sec.

— C'est tout ce que vous pouvez dire, monsieur Bond ? répond Glaub. J'espère que vous serez plus loquace quand vous rencontrerez notre cher ami — Max Zorin.

Rendez-vous à la page **40**.

Vous vérifiez que votre calculatrice-revolver est toujours dans votre poche avant de vous promener sur le pont. Vous descendez une volée d'escaliers vers un long couloir. A votre gauche vous voyez un ascenseur. A votre droite il y a une porte.

Derrière la porte vous entendez le clic-clac facilement reconnaissable d'une imprimante. C'est peut-être ici le centre de l'opération secrète de Glaub. Ou est-ce que l'ascenseur vous conduira à des secrets encore plus grands ?

Décidez vite quelle direction vous allez prendre. Vous pourriez éveiller les soupçons de Glaub si vous ne réapparaissez pas bientôt sur le pont.

L'ascenseur ? Rendez-vous à la page **41**.
La porte ? Rendez-vous à la page **67**.

Vous avez le choix à présent. Vous pouvez remettre la bouteille de nitroglycérine à Glaub dans l'espoir de trouver un moyen de vous échapper à nouveau plus tard. Ou vous pouvez continuer votre coup de bluff jusqu'à la dernière limite dans l'espoir que Glaub cédera en premier. Évidemment, s'il ne le fait pas, c'est fini pour tout le monde.

C'est à vous de choisir.

Remettre la bouteille ? Rendez-vous à la page **65**.

Jouer le coup de bluff ? Rendez-vous à la page **82**.

Vous envoyez un message par radio à M. et il prend les dispositions nécessaires pour le contrôle de sécurité. Ensuite vous conduisez les soldats à la planque de Glaub. Kimberly est là — dans sa forme habituelle.

Mais Glaub n'est pas là. Il est en route vers le *Barracuda* !

La vedette de Glaub entre dans l'immense caverne où le *Barracuda* est amarré. Il passe les contrôles de sécurité sans difficulté. Mais le *Barracuda* est parti ! Vous l'avez, évidemment, fait mettre en lieu sûr.

A sa place un agent secret flotte nonchalamment sur un matelas pneumatique. C'est vous, 007. Les soldats vous ont fait prendre un raccourci et vous êtes arrivé avant Glaub.

Glaub est arrêté. Vous avez gagné. A présent il ne vous reste plus qu'à aller chercher Kimberly avant de partir en vacances à Athènes. Vous vous baladerez à l'Acropole au coucher du soleil, admirant la splendeur de la Grèce antique...

Quelle fin classique et heureuse.

FIN

— 007 ! Faites attention ! M. vous ramène à la réalité. La CIA a aperçu Glaub faire des voyages fréquents entre le bateau et une villa située sur l'île. Et c'est précisément ce qui nous inquiète, 007. Voyez-vous, le nouveau sous-marin ultrasonique de l'Alliance européenne, le *Barracuda*, est caché sur une base à Nikos. Avec ses missiles nucléaires, le *Barracuda* est une arme virtuellement invincible.

— Et vous pensez que Glaub et Zorin veulent s'emparer du *Barracuda* ? demandez-vous.

— C'est possible, répond M. Trouvez le labo de Glaub et essayez de savoir ce qu'il mijote, 007. Et faites attention. Vous serez aux prises avec un génie violent et malfaisant.

Rendez-vous à la page **87**.

En un coup de dent, le requin a coupé le réservoir en deux, libérant l'oxygène pressurisé et envoyant des masses de bulles dans chaque direction. Le requin est étonné et troublé. Vous profitez de son désarroi pour vous propulser à la surface de l'eau.

La tête au-dessus de l'eau, vous respirez profondément. Vous n'avez jamais autant apprécié l'air frais. Et la vue est belle également. Car juste devant vous, en train de se faire bronzer dans une pirogue, se trouve la belle Manya.

Vous saisissez le bord de la pirogue et vous vous hissez à l'intérieur. Votre amie plonge dans l'eau et s'éloigne à la nage ; et voilà pour le fameux charme de Bond !

En retrouvant votre équilibre, votre cheville heurte quelque chose de pointu à l'avant de la pirogue. Vous constatez que c'est une magnifique conque.

Vous ramassez le coquillage et vous le portez à votre oreille. Quand vous étiez gosse vous adoriez entendre le bruit de la mer dans les coquillages. Mais à votre grand étonnement, cette fois vous n'entendez pas le mugissement de la mer, mais la voix d'un homme...

Vous parlez d'un choc !

Rendez-vous à la page **13**.

Vous vous emparez d'une imprimante qui se rapporte à l'installation des armes du *Barracuda* et vous la fourrez dans votre poche. Ensuite vous quittez le labo des ordinateurs et vous retournez sur le pont principal. Vous avez l'intention d'aller chercher Kimberly et de vous diriger vers la côte aussi vite que possible. Bien que vous n'ayez pas tous les renseignements, vous en avez assez pour mettre Glaub hors de combat pendant un bon moment.

Vous retrouvez Glaub, Kimberly et les autres assis à la table du commandant dans la salle à manger du navire.

— Où étiez-vous monsieur Bunbridge ? demande Glaub innocemment.

— Je me suis un peu perdu, expliquez-vous. Nous les Bunbridge n'avons pas tellement le sens de l'orientation. Eh bien, Kimberly, je pense qu'il est temps que nous nous mettions en route.

— Certainement pas ! dit votre hôte. On est sur le point de servir le dîner. J'insiste pour que vous et Mlle Smith vous joigniez à nous.

Vous regardez Kimberly mais son visage est impassible. Ayant peur d'éveiller les soupçons de Glaub si vous refusez son invitation, vous vous mettez à table avec les autres.

Le dîner est servi à la page **54**.

Une fois en l'air, vous jetez un coup d'œil dans le cockpit et vous trouvez sur le siège à côté de vous une veste en cuir et un sac dans lequel il y a un pantalon et une paire de bottes. Heureusement que le pilote de Glaub était de la même taille que vous, pensez-vous en enfilant péniblement les vêtements.

Il y a aussi des cartes et des plans de vol qui vous permettront de vous localiser.

Tout à coup un bras vous serre la gorge. Il y a quelqu'un d'autre dans l'avion et ce n'est probablement pas l'hôtesse ! L'homme resserre sa prise sur votre gorge et vous commencez à suffoquer. Vous lâchez les commandes et l'avion se met à piquer du nez. Avec les deux bras libres, vous parvenez à lui faire lâcher prise. Vous vous retournez et vous lui flanquez un coup de poing. Il n'est pas facile de se battre dans un espace aussi restreint.

Il se retourne sur vous avec un crochet du gauche, mais vous vous baissez derrière le siège du copilote. En vous accroupissant, vous apercevez une grosse clef en métal sur le plancher de l'avion. Vous la ramassez et vous en portez un bon coup sur la tête de votre adversaire. Il s'affaisse sur le siège avant et l'avion part en looping.

Rendez-vous à la page **84**.

Vous êtes étonné que la sécurité à bord du *Barracuda* n'essaie pas de vous arrêter au moment où vous et les autres descendez de votre vedette pour rejoindre la base de lancement du *Barracuda*. Puis vous vous rendez compte que les gardes sont les sosies de Glaub également. Ils étaient manifestement en place avant votre arrivée. Glaub, le criminel par excellence, n'a rien laissé au hasard. Tout ce qu'il lui reste à faire à présent est de prendre le large avec le *Barracuda*.

En vous dirigeant vers la trappe, vous vous figez tout à coup, pris de panique. Un des gardes est en train de braquer la lumière de sa torche sur le visage de chaque homme d'équipage qui entre sur le *Barracuda*. Si Glaub voit votre visage dans la lumière, vous êtes cuit !

Vous avez deux options. Vous pouvez continuer, agir comme si de rien n'était, et espérer que Glaub ne regardera pas quand la lumière sera sur vous. Ou vous pouvez essayer de faire tomber la torche de la main du garde « accidentellement ». Dépêchez-vous. C'est votre tour.

Risquer d'être dévoilé ? Rendez-vous à la page **94**.
Essayer de faire tomber la torche par-dessus bord ? Rendez-vous à la page **12**.

114

Vous êtes entouré d'un groupe de soldats. Vous n'en croyez pas vos yeux. Ils portent tous l'insigne de l'Alliance européenne. Vous devez être encore plus près du *Barracuda* que vous ne le pensiez.

— Parlez-vous français ? demandez-vous en grec.

Le soldat avec le Magnum fait un signe affirmatif.

— Très bien. Maintenant dites-moi s'il vous plaît où je suis.

— Thera, répond-il.

Thera ! Ça se trouve à quelques kilomètres seulement de Nikos.

— Écoutez, messieurs, j'ai beaucoup à vous dire et pas beaucoup de temps. Je ne peux pas tout expliquer, mais j'ai besoin de votre aide. Il faudra m'amener à un téléphone ou une radio immédiatement. Cela concerne le *Barracuda* !

— Dans ce cas, il vaut mieux venir avec nous, répond le soldat.

Rendez-vous à la page **109**.

Vous reprenez connaissance et vous ouvrez lentement les yeux. Vous n'avez aucune idée du temps pendant lequel vous avez été inconscient ni de l'endroit où vous vous trouvez. Il y a une lumière éblouissante au-dessus de vous et un vent froid rentre par la fissure d'une fenêtre grillagée. Vous constatez que vous portez un pyjama d'hôpital. Vous êtes attaché à une table à roulettes. Êtes-vous la prochaine victime de Glaub ?

Avant de réfléchir plus loin, vous entendez un hurlement horrible à proximité. Une créature passe à côté de vous. Il ressemble à un être humain, sauf qu'à la place des mains il a les pattes poilues et crochues d'un ours ! Et les cris qu'il pousse n'ont rien d'humain non plus. Ce sont des grognements effrayants et des gémissements lugubres. Le bruit a couru que Glaub a fait des expériences avec des transplantations de croisements d'espèces en Allemagne nazie. Est-ce que c'est ça qu'il fait ici ?

Rendez-vous à la page **30**.

Vous vous cachez dans le tunnel. C'est plus près et moins risqué que la piste d'atterrissage. Il fait tout noir et pas beaucoup plus chaud qu'à l'extérieur. Vous entendez le jaillissement de l'eau qui coule d'en haut. Vous avancez en tâtonnant le long des murs humides et rocheux jusqu'au moment où le tunnel s'ouvre sur une grande caverne. Vous entendez un bruit de pas qui se rapprochent. Ils résonnent étrangement dans l'obscurité. Vous vous serrez contre la paroi de la caverne, essayant de ne pas respirer.

Tout à coup les pas s'arrêtent.

— N'allons pas plus loin, dit une voix.

— Il n'est probablement pas ici de toute façon, dit quelqu'un d'autre. Il a dû courir vers la piste d'atterrissage. Venez.

Les pas s'éloignent. Vous vous demandez pourquoi les gardes n'ont pas cherché plus loin dans le tunnel. De toute évidence, la chance est toujours avec vous. C'est alors que vous entendez un faible rugissement derrière vous dans la caverne.

Et maintenant ? Pour le savoir rendez-vous à la page **34.**

Vous décidez qu'il vaut mieux atterrir et risquer d'être pris que de s'écraser au sol dans un endroit perdu. Vous vous apprêtez donc à atterrir à l'aéroport de Vérone. Sous peu, vous apercevez la piste d'atterrissage. Vous envoyez un message par radio à la tour de contrôle qui vous autorise à atterrir.

Vous faites un atterrissage parfait sur la piste étroite. En sortant de l'avion, une voiture noire étincelante s'arrête juste à côté de vous. Le Dr Glaub et trois de ses acolytes descendent de la voiture.

— Eh bien, monsieur Bond, dit Glaub avec satisfaction, je suis content de voir que notre appareil d'autoguidage de l'avion a bien fonctionné.

Deux des acolytes vous empoignent et vous passent des menottes.

— Maintenant, si vous voulez bien nous faire le plaisir de nous accompagner dans ma voiture, poursuit Glaub, nous retournerons à l'hôpital pour régler quelques affaires non achevées. Notre patient tigre s'impatiente. Ensuite je dois retourner à Nikos — j'ai rendez-vous avec un barracuda.

Des barracudas, des tigres... Cette histoire commence à ressembler au *Royaume des bêtes sauvages*. Il vaut mieux fermer le livre, 007. On vous a payé en monnaie de singe.

FIN

Vous décidez d'attaquer maintenant !

Pendant que l'infirmier se baisse pour resserrer les liens autour de vous, vous le frappez avec votre scalpel. Le sang gicle de sa main et il hurle de douleur.

Vous le repoussez avec les pieds et vous parvenez à vous détacher. Mais l'autre médecin réagit rapidement. Il empoigne un grand couteau chirurgical à côté duquel votre scalpel ressemble à un cure-dents. En un tour de main, il écourte votre carrière et vous empêche de poursuivre cette aventure.

FIN

Vous obtenez l'hélicoptère et vous indiquez au pilote le chemin du *Caesar*. D'en haut vous voyez Kimberly et Windsor sur le pont du yacht qui vous font signe de la main.

Le pilote vous descend au bout d'une corde et vous remontez avec Kimberly dans les bras.

— Vous savez vraiment comment emballer une fille, James, dit-elle en riant.

— Vous n'avez encore rien vu, répondez-vous en clignant de l'œil.

— Et moi ? hurle Windsor.

— Il faudra que vous attendiez le prochain vol, mon vieux, répondez-vous.

Sur ce, vous vous envolez vers l'île de Crète pour un repos bien mérité — et un peu de plaisir.

FIN

Achevé Imprimerie
d'imprimer Gagné Ltée
au Canada Louiseville